SOCIÉTÉ DES ÉTUDES ROMANTIQUES

LA PETITE MUSIQUE DE VERLAINE

"ROMANCES SANS PAROLES, SAGESSE"

PAR

J. BEAUVERD - J.-H. BORNECQUE - P. BRUNEL
J.-F. CHAUSSIVERT - P. COGNY - M. DECAUDIN
P. VIALLANEIX - G. ZAYED - E. ZIMMERMANN

SOCIÉTÉ D'ÉDITION D'ENSEIGNEMENT SUPÉRIEUR
88, boulevard Saint-Germain
PARIS Vᵉ

« ROMANCES SANS PAROLES, SAGESSE »

COLLOQUES
DE LA « SOCIÉTÉ DES ÉTUDES ROMANTIQUES »

Relire *Les Destinées* d'Alfred de Vigny.
Balzac et *La Peau de Chagrin*.
Histoire et langage dans *l'Education Sentimentale* de Flaubert.
Nouvelles recherches sur *Bouvard et Pecuchet* de Flaubert.

Romantisme, revue de la Société des Etudes romantiques.

SOCIÉTÉ DES ÉTUDES ROMANTIQUES

LA PETITE MUSIQUE DE VERLAINE

« ROMANCES SANS PAROLES, SAGESSE »

par

J. BEAUVERD - J.-H. BORNECQUE - P. BRUNEL,
J.-F. CHAUSSIVERT - P. COGNY - M. DECAUDIN,
P. VIALLANEIX - G. ZAYED - E. ZIMMERMANN.

Editions  réunis

SOCIÉTÉ D'ÉDITION D'ENSEIGNEMENT SUPÉRIEUR
88, boulevard Saint-Germain
PARIS Ve

© 1982, CDU et SEDES réunis
ISBN 2-7181-0516-X

VARIÉTÉ DE VERLAINE
Réflexions sur la nature de la poésie

Si l'on examine les bibliographies annuelles des six à sept dernières années, on s'aperçoit que Verlaine retient bien moins l'attention des critiques que ne le font bien d'autres poètes du dix-neuvième siècle, notamment Mallarmé, Rimbaud, Baudelaire, même V. Hugo. Cela est particulièrement frappant en France. En effet, chose curieuse, la plupart des études parues récemment ont été écrites soit par des étrangers, soit par des Français vivant à l'étranger, en Angleterre, aux Etats-Unis, en Allemagne, aux Pays-Bas, même au Cameroun ou au Zaïre.

Mais peut-être que si on étudie moins Verlaine en France on le lit toujours. De grandes maisons d'édition se sont donné la peine de publier ses poèmes en format de poche au cours de ces dernières années (Garnier-Flammarion ou Poésie Gallimard), et on peut supposer que ces livres ont trouvé des acheteurs. En fait c'est bien là ce qui importe : que Verlaine puisse encore toucher un public assez important, un public que l'on voudrait aussi grand que divers, comprenant des jeunes et ceux qui ne le sont plus, des lecteurs qui découvrent la poésie et ceux qui on la nostalgie des amours de leur jeunesse, des hommes et des femmes qui lisent beaucoup et d'autres qui lisent peu. Et pourquoi n'en serait-il pas ainsi ? L'œuvre de Verlaine, riche et variée, est accessible à plus d'un niveau.

Peut-être les lecteurs ne le comprennent-ils pas toujours. Il est plus grave que tant de critiques le comprennent si mal, que leur échappe la profondeur et la complexité d'une œuvre admirée non seulement par Rimbaud, Mallarmé et Huysmans, mais par des écrivains aussi différents et aussi exigeants, aussi « intellectuels », souvent, que Valéry, Gide et Claudel.

Certes, Verlaine est un poète dangereux pour les critiques. Mais l'endroit de ce revers de la médaille est que peu de poètes peuvent mieux nous faire comprendre ce que c'est que la poésie. Verlaine est dangereux en ce qu'il nous expose toujours à la tentation de négliger son œuvre pour nous attacher à sa biographie, aux événements, lamentables ou scandaleux, de cette vie — l'abandon de sa femme, sa fuite avec Rimbaud, le coup de pistolet qui blesse celui-ci, les années de prison, la conversion, de nouvelles amours, de nouvelles violences, la fin à l'hôpital tiraillé entre deux prostituées. Le ton très personnel des poèmes peut faire penser qu'ils « recouvrent » quelque chose de précis, et trop souvent on a confondu l'approfondissement requis avec une curiosité qui empêche justement tout approfondissement.

Même si l'on ne recherche pas une correspondance illusoire entre la vie vécue et le poème, on se laisse facilement entraîner vers une étude psychologique ou psychanalysante de l'auteur. Lui-même a déclaré un jour : « je suis vraiment un féminin », sorte de croc-en-jambe à ceux qui auraient voulu le découvrir. Mais quelle influence, s'est-on demandé, ont eu son enfance, les fœtus conservés dans des bocaux par sa mère, quend s'est d'abord révélée son homosexualité et tient-elle à sa laideur ou à ses rapports avec sa mère, quelles traces en trouvons-nous dans ses vers ? De l'analyse des circonstances on passe à celle de la personnalité : un faible : on le voit influencé par ses prédécesseurs et ses contemporains, n'ayant d'ailleurs rien inventé (l'impair n'existait-il pas déjà bien avant lui ?) (1). Sa poésie se réduit soudain à une lamentation, à une longue plainte. On juxtapose alors les vers des époques les plus diverses pour démontrer ces quelques thèses limitées et étroites : qu'il a été le poète du minuscule, du diminutif, du vide, de la fadeur, que ses sens ne percevaient que le vague ou l'excessif, que les poèmes ne notent que l'imperceptible ou ce qui secoue les nerfs (2). D'un don on fait une limitation, et l'élan une fois donné, les critiques se répètent volontiers les uns les autres.

Je ne veux pas dire que les conclusions auxquelles arrivent certains critiques par ces voies doivent nécessairement être rejetées comme fausses, mais que nous devrions nous demander si elles nous apprennent quelque chose d'essentiel sur la poésie. Verlaine est « dangereux » parce qu'en l'étudiant on s'engage facilement sur une fausse voie qui se termine en cul de sac. Déçu, les conclusions limitées une fois atteintes, on se détourne de lui, alors qu'en se détournant plutôt des tentations réductrices on verrait au contraire s'ouvrir devant soi un grand nombre de lectures poétiques diverses qui l'enrichissent et nous enrichissent. On ne rencontrera pas de questions métaphysiques dans cette poésie — si Verlaine en a posé, c'est maladroitement — mais une grande variété qui se situe à d'autres niveaux. C'est à souligner cette variété méconnue, donc une partie de la richesse poétique de l'œuvre, que je voudrais consacrer cette communication.

Permettez-moi d'abord de considérer la question au niveau le plus superficiel et, pour cela, ouvrons le petit recueil des *Romances sans paroles*. On constate bientôt que chacune des parties qui le compose a son propre ton : les « Ariettes oubliées » sont tout en nuances ; dans « Paysages belges » qui suivent, les sensations sont parfois brutales, les objets perçus plus nettement délimités ; « Birds in the night » qui ne comprend qu'un long poème et qui constitue la partie la plus faible du recueil, est précis et autobiographique après une sélection qui se

---

(1) D. Hillery, Paul Verlaine, *Romances sans paroles* (Londres : The Athlone Press, 1976), p. 24-25, 29-30. L'auteur reconnaît toutefois que les *Romances sans paroles* en particulier offrent une concentration extrême de ces formes rares.
(2) Voir en particulier J.-P. Richard, « Fadeur de Verlaine » dans *Poésie et profondeur* (Paris : Le Seuil, 1955) et Paule Soulié, « Le vague et l'aigu dans la perception verlainienne » dans *Approches, Essais sur la poésie moderne de langue française*, Annales de la Faculté des lettres et sciences humaines de Nice 15. (Paris : les Belles Lettres, 1971), qui s'appuie sur l'essai précédent.

veut tout « objective » ; enfin « Aquarelles », la quatrième et dernière partie, continue dans le sens de « Paysages belges » mais en faisant alterner douceur et brutalité, et en ajoutant parfois une pointe de surréalisme.

La variété n'est pas moins grande d'un poème à l'autre, que ce soit du point de vue de la forme — rythme, choix des rimes — du ton, des images, de la situation dans le temps ou dans un espace tour à tour intérieur ou extérieur, que ce soit dans le mouvement qui anime le poème ou dans la façon dont il est « adressé ». Relisons les « Ariettes oubliées », la section en apparence la plus unifiée du recueil, où d'aucuns ont vu un seul long murmure *sotto voce*.

La première de ces ariettes sans titre est « C'est l'extase langoureuse », poème du présent, le « c'est » si souvent répété le souligne, effort de saisir l'insaisissable, une plénitude amoureuse (« C'est l'extase langoureuse, / C'est la fatigue amoureuse, / C'est tous les frissons des bois... »). A cet effet Verlaine a choisi un mètre impair, l'heptasyllabe, et a donné la préférence aux rimes féminines qui dominent dans chaque strophe.

La seconde ariette, « Je devine, à travers un murmure », est entièrement en rimes féminines, et de nouveau en vers impairs, mais de neuf syllabes cette fois. Le présent est sans force ici : nous assistons à la confrontation du passé et de l'avenir (« Je devine ... le contour subtil des voix anciennes/ Et dans les lueurs musiciennes,/ Amour pâle, une aurore future ! »). Elle mène à un déchirement, présenté sur le mode mineur, ce qui ne dissimule pas l'intensité des sentiments : l'âme et le cœur sont « en délires », le vœu ultime du poème est « O mourir de cette escarpolette ! » Cette mort semble d'ailleurs envisagée avec une certaine volupté. Mais les images du poème ne rappellent en rien celles de la première ariette qui était toutes puisées dans une nature paradoxalement agitée et statique. Ici le conflit s'exprime à travers des notations musicales ou lumineuses, et le mouvement fondamental consiste en un retour futile au point de départ selon le balancement de l'escarpolette.

La troisième ariette est le très célèbre « Il pleure dans mon cœur ». A deux poèmes en mètres impairs succèdent ces quatre strophes en vers de six syllabes. L'ariette présente aussi un nouveau jeu sur la rime, puisque dans chaque strophe deux rimes sur trois sont produites par le même mot, alors qu'un quatrième vers n'a pas d'écho dans la strophe. Le paysage esquissé est cette fois un paysage citadin (« O bruit doux de la pluie/ Par terre et sur les toits ! »). Le poème respire une tristesse confinant au désespoir mais, contrairement au poème précédent, on n'y trouve aucune trace de conflit (« sans amour et sans haine »). L'escarpolette de la seconde ariette est explicitement niée.

A ce désespoir succède un espoir : dans « Il faut, voyez-vous, nous pardonner les choses », la quatrième ariette, un bonheur possible est entrevu. Après un poème en hexamètres, Verlaine choisit le mètre très rare et très difficile de onze syllabes. Les rimes, comme celles de l'ariette 2, sont exclusivement féminines. Les images de « Il pleure dans mon cœur » étaient toutes descendantes et intérieures : le seul mouvement perceptible était celui de la pluie qui tombait, et tout se concentrait au centre de l'être (« cette langueur/ Qui *pénètre* mon

cœur », « Il pleure sans raison/ *Dans* ce cœur qui s'écœure »). Un
je solitaire était tapi au centre de lui-même. La quatrième ariette
nous le montre se mouvant, au contraire, dans un monde extérieur,
cheminant « loin des femmes et des hommes », au milieu de ce qui
est plus une allitération qu'un paysage, de « chastes charmilles. » Il
est rejoint par une autre présence, « âme sœur » avec laquelle il communique, ce que soulignent non seulement les nombreux « nous »
(« il faut, vouyez-vous, nous pardonner les choses »), mais le « deux »
repris avec insistance à la première et à la dernière strophe (« nous
serons ... deux pleureuses », « soyons deux enfants ») ainsi que les locu-
tions « voyez-vous », « n'est-ce pas » qui s'adressent à un interlocuteur.

L'ariette cinq, « Le piano que baise une main frêle » est située
beaucoup plus nettement que la précédente : on entrevoit un intérieur,
un « piano », un « boudoir » dont la fenêtre ouvre sur un petit jardin.
Il n'y a plus de cheminement ; le « fin refrain incertain » ne peut que
rôder dans la pièce jusqu'à ce qu'il meure sur le seuil qu'il ne réussit
pas à franchir, et le « moi » subit un bercement, non déchirant comme
le balancement de l'escarpolette à l'ariette 2, mais qui le dorlote.
Nous revenons au mètre pair, un décassyllabe avec alternance des rimes
masculines et féminines.

Toute cette mélancolie est brisée par le joyeux et égrillard « C'est
le chien de Jean de Nivelle », octosyllabe souvent rythmé 2-6, à fausses
rimes, mêlant les héros de diverses chansons d'enfant, aussi loin que
possible de l'intériorité du moi contemplatif. L'ariette suivant, la
septième, présente, dans un ton à nouveau très différent, un dialogue
du cœur et de l'âme (« O triste, triste était mon âme »). Elle est en
distique, forme strophique nouvelle dans ce recueil et, comme le
poème précédent, en octosyllabes. Mais le rythme est très différent
du fait que la première mesure est presque toujours plus longue que
dans l'ariette 6, avec une préférence marquée pour le 4- 4. Il n'y a
guère d'images d'un monde extérieur ici, et le mouvement est contradictoire, mouvement arrêté dès qu'il est esquissé :

> Mon âme dit à mon cœur : Sais-je
> Moi-même que nous veut ce piège
> D'être présents bien qu'exilés,
> Encore que loin en allés ?

Le *je* est de nouveau absent de l'ariette suivante, la huitième
(« Dans l'interminable/Ennui de la plaine ») où Verlaine réussit le
tour de force de créer un paysage de l'ennui à travers le mètre étroit
de cinq syllabes, prolongé à peine du fait que toutes les rimes sont
féminines. Paysage complet de plaine, au ciel lourd, avec des arbres à
l'horizon et peut-être quelques animaux, mais paysage irréel où tout se
contredit et où les deux premières strophes répétées produisent une
sorte de refrain, comme s'il s'agissait d'une chanson et non d'une description. Aussi l'ensemble est-il statique. Les chênes flottent immobiles
(« Comme des nuées/ Flottent gris les chênes/ Des forêts prochaines ») ;
aucune lumière ne descend du ciel (« Le ciel est de cuivre/ Sans lumière
aucune »). Seule la neige laisse émaner une légère lueur.

Dans la dernière ariette, « L'ombre des arbres dans la rivière embrumée », le mouvement est plus nettement circulaire. Le regard se lève à deux reprises, mais il est ramené vers le bas. Rien ne peut s'élever car rien ne se détache de ce monde embrumé. Les arbres se reflètent dans l'eau qui mire le « voyageur » immobile du poème. Dans les hautes feuillées où elles devraient se situer, les espérances « pleurent », « noyées ». Le poème, en deux strophes, est le seul des *Ariettes oubliées* à mètre alterné : un alexandrin est suivi, non des six syllabes traditionnelles, mais d'un vers boiteux de sept syllabes. Le paysages d'arbres, de rivière peut rappeler, de très loin, celui de la première ariette, mais ne ressemble à aucun autre.

En effet, nous avons pu le constater, aucun des poèmes de cette section pourtant très unifiée n'est vraiment comparable à un autre, ni par le paysage évoqué, ni par l'état d'âme, ni par les acteurs, ni par le mouvement intérieur ou extérieur, ni même par le mètre ou le rythme. Dans ce survol très superficiel, je n'ai pas même mentionné la couleur vocalique. Je n'ai relevé que ce que l'on peut sentir sans analyse complexe : la très grande variété dans l'art de Verlaine. Verlaine ne se répète pas. J'ai voulu faire sentir aussi ce que nous pouvons en conclure sur son art conscient : ces poèmes n'ont pas été composés dans l'ordre où ils sont présentés ; mais Verlaine les a réunis pour créer un ensemble unifié quoique varié. C'est le principe même de la poésie, et tout particulièrement de la poésie-chanson : un mètre choisi, la rime, assurent une régulatiré de base que l'on peut rendre plus ou moins hypnotique. Le poème tire son agrément, toutefois, des surprises, des variantes qui apparaissent dans ce cadre fixe. Elles seules empêchent l'esprit de s'endormir et ce n'est que par elles qu'il s'ouvre à ce que communique le poète.

Verlaine a donc construit savamment son recueil et chacune des parties qui le composent. Valéry, peut-être le poète le plus conscient de son art, l'a bien dit : « Quant à l'ingéniosité de Verlaine et de son art, il ne fait aucun doute qu'elle n'a jamais existé. Sa poésie est bien loin d'être naïve, étant impossible à un vrai poète d'être naïf. » (3). Aussi ne puis-je comprendre pourquoi certains critiques (pas tous, loin de là) ont poussé de hauts cris quand j'ai suggéré, il y a bien longtemps, que les *Romances sans paroles* avaient peut-être une « architecture secrète » pour emprunter l'expression de Baudelaire qui, lui aussi, avait voulu donner une forme non seulement à ses poèmes mais au recueil qui les réunissait. (4) Loin de chercher à imposer à chaque poème un sens donné pour l'adapter de force à mon schéma, j'ai laissé beaucoup de flou et de « peut-être ». Mais il me semble toujours que *Romances sans paroles* obtient une partie du moins de son

---

(3) P. Valéry, « Passage de Verlaine » dans *Variété* II (Paris : Gallimard, 1930) p. 183.
(4) D. Hillery, *op. cit.* p. 46, 47. Ce critique s'ingénie d'ailleurs à durcir mes positions quand il ne me fait pas dire, par implication, le contraire de ce que je dis (voir en particulier p. 19 où je suis rangée parmi ceux qui subordonnent l'art de Verlaine à celui de Rimbaud).

intérêt par les tensions qui s'y manifestent — et que sa composition fait ressortir —, entre la douceur et la violence, l'espoir et le désespoir, le désir de s'abîmer dans la mort et de vivre, entre ce que le poète ressentait comme le passé et ce qu'il voyait comme l'avenir, tensions de l'escarpolette de l'ariette 2. J'ai appelé les principes de ces tensions Mathilde et Rimbaud, et il n'est pas exclu que ce soit là le nom que leur ait donné Verlaine, mais ce ne sont pas les noms, ce sont les oppositions qui comptent. Je ne reprendrai pas ici mon argumentation, d'ailleurs un peu difficile à suivre oralement, et que l'on pourra retrouver en son lieu (5).

Ce que je ne comprends pas davantage, c'est comment on a pu soutenir récemment que Verlaine n'était pas particulièrement original quant à la forme. C'est là tomber dans un autre piège que présente l'œuvre de Verlaine et, une fois de plus, il me semble que si on réussit à y échapper, on se trouve face à des questions fondamentales sur la nature de la poésie. Verlaine, nous dit-on, a écrit plus de vers pairs que de vers impairs. Cela ne faut aucun doute, et Victor Hugo a écrit plus de vers avec césure à l'hémistiche que de trimètres romantiques. La question n'est pas là. Verlaine, ajoute-t-on, n'a pas inventé les mètres impairs. Mais la question n'est pas là non plus. On trouvera dans les ouvrages de Pierre Martino et de Claude Cuénot en particulier le dénombrement des formes utilisées par Verlaine si l'on veut conduire le débat sur ce terrain, et de nombreux critiques se sont attachés à relever les ancêtres de ces formes. (6) Mais ce dont il s'agit, c'est bien moins de constater quelle forme Verlaine a utilisée que de sentir comment il l'a fait. Banville s'est adonné à beaucoup d'acrobaties rythmiques... on s'en souvient comme d'acrobaties. Il n'en est pas de même de Verlaine qui s'est peut-être découvert à travers l'impair et le vers étroit — c'est une des thèses que je soutiens dans *Magies de Verlaine* en constatant que les meilleurs parmi les poèmes de jeunesse ont été écrits dans ces mètres. Lui qui avait l'oreille si fine a pu se sentir libéré d'un rythme trop monotone qui l'obsédait quand, à travers les mètres impairs ou très courts, il a créé des rythmes nouveaux. Ces rythmes, il a ensuite pu les appliquer même aux mètres traditionnels. Car, bien entendu, l'originalité formelle d'un poète dépend non des mètres mais des rythmes qu'il emploie.

---

(5) Voir mon article « Notes sur l'architecture des *Romances sans paroles* et de *Cellulairement* » dans *Revue des Sciences humaines* avril-juin 1965 ou *Magies de Verlaine* (Paris : Corti, 1967 ; Genève : Slatkine, 1981), *« Romances sans paroles »*. D'autres critiques ont entrepris des études de structure pour d'autres recueils ; voir notamment Jean Marmier « La construction de *La Bonne Chanson* », *Revue des Sciences humaines*, avril-juin 1968, pp. 267-78 et Emmanuel Soundjock, « Structure, signification et originalité de *Sagesse* », *Annales de la faculté des lettres et des sciences de Yaoundé* 6 (1974) pp. 34-51, étude un peu plus rigide et systématique que les précédentes, qu'il ne semble pas avoir connues, mais non dépourvue d'intérêt.
(6) Pierre Martino, *Verlaine* (Paris : Boivin, 1924) ; Claude Cuénot, *Le Style de Paul Verlaine* (Paris : CDU, 1963). On pourra aussi consulter Charles Bruneau, *Verlaine* Paris : CDU) ; J. Desjardins, « Quelques remarques sur la versification de Verlaine dans *Sagesse* », *Information littéraire* 1950, (, p. 15-18, II, p. 47-54, III, p. 105-111.

J. St. Chaussivert a étudié récemment le rythme du décasyllabe chez Verlaine. J'ai tenté de montrer jadis comment Verlaine réussissait à traduire des tons très différents par un même mètre. Reprenons la question ici.

Si nous revenons à l'ariette 8 que j'ai mentionée tout à l'heure, pour la justaposer à « A Poor Young Shepherd » de *Aquarelles,* nous obtenons un premier exemple de deux emplois très divers d'un même mètre. Je ne prends que la première strophe :

> Dans l'interminable
> Ennui de la plaine
> La neige incertaine
> Luit comme du sable.

Les vers sont pentasyllabiques, mais en fait ils semblent beaucoup plus longs, comme les enjambements fréquents leur donnent une très grande fluidité : les vers 1 et 2, 3 et 4 sont liés entre eux, mais on s'arrête à peine, même à la fin du second vers. Le vers semble encore plus long du fait qu'un mot de quatre syllabes domine dans le premier vers, le remplissant presque entièrement. Les noms du second vers, « ennui » et « plaine », courts pourtant, semblent également plus longs qu'ils ne le sont tant à cause de leurs voyelles longues et de leur sens que parce qu'ils s'insèrent dans un vers si court. La répétition du son є qui obtient son sens par « interminable » et « plaine » où il apparaît, la fréquence du *l* donnent aussi une grande unité à la strophe.

Si nous prenons

> J'ai peur d'un baiser
> Comme d'une abeille.
> Je souffre et je veille
> Sans me reposer :
> J'ai peur d'un baiser !

nous avons l'impression d'un ensemble beaucoup plus saccadé. Le premier vers peut se lire indépendamment, et on tend à s'arrêter à la fin de la ligne. Trois mots, chacun d'une syllabe, l'introduisent, « baiser » n'en a même que deux. Au second vers, « comme » ne retient pas notre attention, de sorte que que ce vers n'a pas non plus la cohérence et la fluidité de, disons, « Ennui de la plaine ». Les vers qui suivent présentent des traits comparables. Ainsi le pentamètre redevient-il ce qu'on attend de lui, un vers court et saccadé. Il communique ici le sentiment d'hésitation haletante du jeune berger, et permet le sourire ironique que son aventure doit faire naître en nous.

Il est peu de maître plus grand du rythme que Verlaine, peu de poètes qui, plus que lui, nous mettent en présence de l'essence de la poésie. Lue avec soin, son œuvre poétique nous rappelle à chaque

---

(7) J. St. Chaussivert, « Esthétique du tarantatara verlainien », *Revue des Sciences humaines* 1970, pp. 401-09.

instant ces vérités premières, essentielles, que le mètre ne vaut que par le rythme, que le rythme est lié au sens des mots comme à la distribution des sonorités, et que seul le mariage des trois éléments, rythme, sens et sonorité communique au lecteur ce que nous appelons le sens du poème.

Car il n'y a presque jamais dans les meilleurs poèmes de Verlaine, de sens prosaïque. Comment traduire par d'autres mots « Dans l'interminable/Ennui de la plaine » ? Qu'est-ce qui est décrit ? Une plaine, un ennui ? Est-ce la nuit, fait-il jour ?

> Le ciel est de cuivre
> Sans lueur aucune
> On croirait voir vivre
> Et mourir la lune.

Encore ce poème est-il relativement accessible. Mais que dire de « Bruxelles, Simples Fresques I » dans *Paysages belges* :

> La fuite est verdâtre et rose
> Des collines et des rampes
> Dans un demi-jour de lampes
> Qui vient brouiller toute chose.

Des « choses », un éclairage, un mouvement. Comment a-t-on pu dire que la poésie de Verlaine était simple ? Mais, une fois écartée la tentation de chercher quel paysage Verlaine peint ici, pourquoi il le peint, de réduire le poème à un amenuisement dit « typique », de voir en ces vers un état d'âme pareil à beaucoup d'autres alors qu'il en diffère de façon subtile mais essentielle, il reste un poème où se fondent un mètre difficile, un rythme varié, un jeu de rime que prolongent les sonorités à l'intérieur du vers, et enfin des images constituées par un mélange comme Verlaine les aime et sait admirablement les manier, du concret et de l'abstrait. Le concret confère un aspect saisissable au poème, alors que l'abstrait en nie les limites.

> L'or, sur les humbles abîmes,
> Tout doucement s'ensanglante.
> Des petits arbres sans cimes
> Où quelque oiseau faible chante.
>
> Triste à peine tant s'effacent
> Ces apparences d'automne,
> Toutes mes langueurs rêvassent,
> Que berce l'air monotone.

Mais je n'ai jusqu'ici parlé que des *Romances sans paroles*. Si nous nous tournons vers *Sagesse* nous trouvons un recueil beaucoup moins unifié (quoique Verlaine cherche aussi à lui donner une structure par les trois parties en lesquelles il le divise), mais qui nous apprend davantage encore sur la variété de son art. (8)

----

(8) Voir E. Soundjock, *op. cit.* pour une étude détaillée du sujet.

Cela est dû en partie au fait que les poèmes réunis ici ont été écrits pendant un bien plus grands nombre d'années, mais aussi à ce qu'ils ont été composés en deçà et au delà de la grande rupture dans la vie de Verlaine, sa conversion, en mai 1874, alors qu'il était en prison. *Sagesse* contient les poèmes qui ont été écrits sous le coup de cette conversion et qui en retracent l'expérience. On a prétendu que la conversion introduisit chez Verlaine une volonté de clarté, un besoin de contours nets et d'objets saisissables. Mais ces traits existent déjà dans certains Poèmes saturniens et dans les *Paysages belges* comme dans les poèmes écrits en prison avant la conversion. Le bavardage superficiel que d'aucuns attribuent à ce qui serait une nouvelle volonté néfaste de clarté chez Verlaine se trouve dans plus d'un poème des *Poèmes saturniens* et de *La Bonne Chanson*. La conversion a introduit des thèmes nouveaux chez Verlaine, mais son art se développe naturellement et indépendamment de ces thèmes. Je souligne « se développe ». Les poèmes de cette époque ne sont pas « meilleurs » mais Verlaine cherche, comme il l'a fait depuis ses premiers essais, des formes neuves qui expriment des expériences nouvelles.

La suite la plus remarquable des poèmes de ce recueil est la série de sonnets de *Sagesse* II : « Mon Dieu m'a dit, mon fils il faut m'aimer ». Il ne saurait être question de l'analyser ici, d'examiner comment l'alexandrin haché, désarticulé répond à l'halètement, au désarroi du pécheur à qui le message de Dieu ne parvient d'abord que par bribes, comment il sait porter un vocabulaire théologique et mystique, mélange traditionnel de concret et d'abstrait, qui prend néanmoins dans ces poèmes une coloration personnelle.

Je ne parlerai pas non plus du poème des Voix, l'un des plus puissants que Verlaine ait écrit, plein d'énergie, plein d'éclats de couleurs et de sonorités, et dont les cris s'opposent si nettement au murmure que l'on veut seul caractéristique de Verlaine :

> Voix de l'Orgueil : un cri puissant comme d'un cor,
> Des étoiles de sang sur des cuirasses d'or.
> On trébuche à travers des chaleurs d'incendie...

Mais, puisque je me suis arrêtée deux fois, un peu par hasard, à des pentamètres, je voudrais en relever deux encore qui ont paru dans ce recueil. Ils sont moins connus que les *Ariettes oubliées*. Aussi vais-je citer ces poèmes en entier :

> Un grand sommeil noir
> Tombe sur ma vie :
> Dormez, tout espoir,
> Dormez, toute envie !
>
> Je ne vois plus rien,
> Je perds la mémoire
> Du mal et du bien ...
> O la triste histoire !
>
> Je suis un berceau
> Qu'une main balance
> Au creux d'un caveau :
> Silence, silence !

Aucune ressemblance entre ce poème et « Dans l'interminable/ Ennui de la plaine », et je soupçonne que si l'on n'appelait ses doigts à la rescousse, on n'y reconnaîtrait pas non plus le mètre de « J'ai peur d'un baiser ». Pourtant, comme dans ce dernier poème, les fins des vers sont nettement marquées, du moins dans les deux premières strophes. Mais alors que les coupes d' « A Poor Young Shepherd » ou soulignaient des mots sans importance, ou étaient à peine perceptibles, ici le vers, si court qu'il soit, se divise presque toujours clairement en deux mesures. Les mots ainsi accentués peuvent être isolés et sont porteurs de sens. Dans la première strophe, chaque vers après le vers initial commence par une syllabe accentuée et, qui plus est, d'une sonorité voisine des sonorités du premier vers, toutes graves, « Tombe », « Dormez ».

La seconde strophe peut surprendre. L'accent initial se déplace et les trochées sont remplacés par des anapestes ou des iambes. Tout était chute et poids dans la première strophe ; dans la seconde tout est fuite et désarroi, mais une fuite entrecoupée par les limites de ce vers si étroit. A la troisième strophe le pentamètre se présente à nouveau différemment grâce aux trois enjambements. Mais ces enjambements ne communiquent pas l'impression de fluidité d'un vers long. En effet, au « berceau » qui termine le premier vers correspond le « balance » au second, arrêtant l'élan par cette allitération très sensible dans un vers si court, alors que le troisième vers avance difficilement entre les deux *k* de « creux » et « caveau ». Le bercement n'apporte donc pas un sommeil paisible mais un mouvement convulsif et restreint, au sein du grand sommeil noir ; j'ai commenté autre part l'étrangeté de cette image où le *je* se transforme lui-même en berceau passif et soumis à quelque force anonyme. Le « silence » répété qui clôt le poème et remplit le dernier vers obtient lui aussi son poids grâce au mètre court. C'est là un poème, à mon sens, extrêmement hantant et qui, dans sa concentration brutale, me semble bien loin non seulement de « Dans l'interminable/Ennui » mais de tous ces poèmes que l'on considère comme typiquement verlainiens. « Il pleure dans mon cœur » ou « Le piano que baise une main frêle ». (9)

Pour conclure je voudrais dire rapidement avec vous un poème qui n'a de pentamètres qu'en alternance avec d'autres mètres. C'est un poème extrêmement riche, et je devrai me contenter de quelques remarques, laissant la lecture suggérer d'autres réactions. Il s'agit du poème VII de *Sagesse* II. Voici la strophe initiale, reprise en refrain à la fin du poème :

---

(9) J.-P. Richard qui y cherche la représentation d'une conscience, d'un être qui « n'a plus de nom, d'histoire, ni même d'âge », qui « est n'importe où et n'importe qui ; à la fois défunt et nouveau-né [et] continue à se balancer absurdement dans l'intériorité d'un temps vide » assimile au contraire « Un grand sommeil noir » à « Chevaux de bois » *(Paysages belges)* à « Je devine à travers un murmure » *(Ariettes oubliées* 2) et à d'autres pour définir une *langueur* verlainienne *(op. cit.* p. 174-75). Je voudrais quant à moi insister sur le fait que chacun de ces poèmes est non seulement totalement différent dans sa composition mais communique aussi des sensations, un état d'âme, une vision du monde indépendante des autres.

Je ne sais pourquoi
Mon esprit amer
D'une aile inquiète et folle vole sur la mer.
Tout ce qui m'est cher,
D'une aile d'effroi
Mon amour le couve au ras des flots. Pourquoi, Pourquoi ?

Chaque phrase commence par deux pentamètres et se termine par le plus long vers perceptible à l'oreille française, un vers de treize syllabes. Si cette première strophe ne nous fait nullement penser aux pentamètres que nous avons lus tout à l'heure, cela tient naturellement en partie à ce vers claudiquant qui s'y adjoint. Verlaine le divise en tronçons impairs eux aussi, de sept ou de neuf syllabes. Ainsi c'est l'aspect défectueux du pentamètre, hexamètre incomplet, qui est souligné. C'est aussi le mot à la rime qui est marqué, car l'étroitesse du vers ressort par contraste avec le vers de treize syllabes, soit le « pourquoi » (repris d'ailleurs deux fois à la fin de la strophe), « amer », « cher », mais surtout « effroi ».

L'incertitude domine le poème. L'aile, l'oiseau dont le domaine devrait être la hauteur, demeure au ras des flots, donc sur une ligne horizontale, mais non droite puisque, selon la seconde strophe, la mouette ne peut se détacher ni du vent ni de la surface inconstante des eaux.

Mouettes à l'essor mélancolique
Elle suit la vague, ma pensée,
A tous les vents du ciel balancée,
Et biaisant quand la marée oblique,
Mouette à l'essor mélancolique.

Malgré les liens invisibles qui la retiennent, la mouette rêve de liberté :

Ivre de soleil
Et de liberté,
Un instinct la guide à travers cette immensité.
La brise d'été
Sur le flot vermeil
Doucement la porte en un tiède demi-sommeil.

Cette ivresse de liberté ne suffit pas, cependant, pour assurer un franc essor en hauteur. Pourtant le *i* de « ivre » semble déterminant pour la strophe jusqu'à ce que le « tiède demi-sommeil » vienne remplacer cette première association d'idées et de sonorités.

Le *i* persiste dans la strophe suivante, la quatrième, (dont le mètre ennéasyllabique est identique à celui de la seconde, comme la troisième reprenait la structure de la première), associé cette fois au « crie » du premier vers :

Parfois si tristement elle crie
Qu'elle alarme au lointain le pilote,

Puis au gré du vent se livre et flotte
Et plonge, et l'aile toute meurtrie
Revole, et puis si tristement crie !

L'oiseau qui n'avait su monter ne se réfugie pas dans le demi-sommeil berceur que lui offre la mer : parfois il semble se réveiller, parfois il est entraîné vers le bas et la remontée est douloureuse (« Plonge, et l'aile toute meurtrie/Revole »). Mais ce mouvement de chute est constaté, non expliqué, subi en fait par le poète. Et c'est par une question, la question initiale, que se termine le poème puisque la première strophe est reprise en refrain.

Est-il utile de prendre ce poème comme exemple de la passivité du poète, ou de son esprit « féminin », ou même de ses sensations limitées à la fadeur, à l'aigu ou au suraigu ? (10) Je ne le crois pas, à moins que, d'un mouvement inverse, on souligne en conclusion combien une expérience humaine nécessairement limitée peut apparaître riche et variée lorsqu'un poète la transpose, non, la trans-forme, lui donne forme. C'est sur ces mots que je voudrais conclure, et dans l'espoir que ces relectures entreprises en commun ici auront pu servir à raviver votre intérêt pour la richesse de l'œuvre verlainienne.

Eléonore M. Zimmermann
(State University of New York à Stony Brook)

---

(10) On pourrait aussi, en utilisant une méthodologie linguistique de l'ordre de celle que propose Michael Riffaterre, montrer comment un mot en appelle un autre, que le « amer » — adjoint dans la première strophe à « esprit » — est appelé par « mer » auquel il s'associe depuis l'antiquité latine, que l'une des images les plus étranges du poème (« tout ce qui m'est cher/ D'une aile d'effroi/ Mon amour le couve au ras des flots ») provient sans doute de ce que « amour » et « aile » entraînent « couve » qui vient remplacer le « chercher » d'une première version. L'alcyon qui est censé bâtir son nid sur les vagues n'entre pas en cause ici, comme il symbolise le calme. Mais oiseau suggère bien entendu « essor », eau « mouette ». Verlaine avait déjà associé oiseau, cri et eau dans « Le Rossignol » (Poèmes saturniens) que M. Riffaterre commente dans Semiotics of Poetry (Bloomignton et Londres ; Indiana University Press, 1978) p. 37 et sq., où il expose systématiquement sa méthode. Voir aussi La Production du texte (Paris : Le Seuil, 1979).

ROMANCES SANS PAROLES ET ÉTUDES NÉANTES
esquisse pour un chant amébée

En mai 1873, P(aul) V(erlaine) inscrit en tête de ses *Romances sans paroles* une dédicace « à Arthur Rimbaud » (1). Il sait bien que les gardiens de la vertu s'indigneront, que ses prétendus amis s'inquiéteront de le voir rester fasciné par « ce môme dont l'imagination (est) pleine de puissance et de corruptions inouïes » (2). Il se déclare prêt à résister : « Je tiens beaucoup à la dédicace à Rimbaud », écrit-il le 19 à Edmond Lepelletier (3). Il est près de céder, et la dédicace est absente de la première édition du recueil, publiée à Sens en mars 1874.

Entre temps, il est vrai, les relations des deux « vagabonds » se sont modifiées. Le 18 mais 1873 Verlaine est arrivé seul à Bouillon ; il espère retrouver dans les jours suivants le « frérot » dont il est séparé depuis plusieurs semaines. (4) La dédicace est une manière de *captatio benevolentiae.* En mars 1874, il est incarcéré à la prison de Mons à la suite de l'incident de Bruxelles, le 10 juillet 1873, *« crimen amoris »* (5). Malgré l'acte de renonciation du 19 juillet, Rimbaud l'a fait arrêter, l'a accusé de tentative de meurtre. Verlaine lui en veut et, après ce qui s'est passé, la dédicace paraîtrait franchement choquante.

En mai 1873, elle était ambigüe. Verlaine voulait la maintenir : « d'abord *comme protestation,* puis parce que ces vers ont été faits, lui étant là et m'ayant beaucoup poussé à les faire » (6). Protestation : non pas contre Rimbaud, alors plus recherché que jamais, mais bien plutôt contre Mathilde et tous ceux qui, prenant le parti de l'épouse,

---

(1) Elle figure sur le manuscrit envoyé à Emile Blémont et conservé à la Bibliothèque Jacques Doucet. Voir l'édition critique des *Oeuvres poétiques.* de Verlaine établie par Jacques Robichez, Garnier, 1969, p. 142, n. 1.
(2) L'expression est de Léon Valade, dans une lettre du 2 octobre 1871, citée par Marcel Coulon, dans *La Vie de Rimbaud et de son œuvre,* Mercure de France, 1929, p. 161.
(3) *Oeuvres complètes* de Verlaine, éd. Jacques Borel, Le Club du Meilleur livre, 1959, 2 vol., t. I, p.
(4) Lettre à Rimbaud adressée le 18 (mai 1873) de « Boglione » *(sic),* reproduite dans le livre d'Henri Peyre, *Rimbaud vu par Verlaine,* Nizet, 1975, p. 27-28.
(5) Le poème qui porte ce titre a été composé à Bruxelles et est daté de juillet 1873 dans *Cellulairement.*

ont calomnié le compagnon. Protestation : pas davantage celle d'une influence par protestation, au sens où Gide emploiera l'expression. Verlaine veut signaler et reconnaître une présence dans sa vie et dans son recueil nouveau. Il tient à rendre discrètement hommage à celui qui ne fut ni un inspirateur ni un maître, ni une Laure de l'autre sexe, ni le Diable du trille, mais un ami qui lui prodigua les encouragements.

On a trop recherché dans les *Romances sans paroles* l'image de l'amant. Le « nous » de la quatrième ariette représente-t-il Verlaine et Rimbaud (7), ou plutôt Verlaine et Mathilde (8) ? Peu importe, ou plutôt seul importe le masque des « deux pleureuses », des deux « jeunes filles », des « deux enfants », — dont les « deux enfants fidèles », dans les « Phrases » de Rimbaud, seront la parodie (9). La personne grammaticale jette un voile pudique sur toute question de personnes. Et mon propos est de montrer que la seule liaison est celle de deux poétiques.

On a trop parlé d'influence. Elle apparaît tantôt comme une influence de Rimbaud sur Verlaine (10), tantôt comme une influence de Verlaine sur Rimbaud (11). Octave Nadal, sans crier gare, passe de l'une à l'autre (12). Or c'est cette réversibilité qui m'intéresse et qui m'incite à penser plutôt à un échange poétique.

J'éviterai de remonter aux « Lettres du Voyant » (13, 15 mai 1871). Elles exposent une théorie que mettent en pratique les poèmes de l'année 1871, « Le cœur supplicié », « Chant de guerre parisien », « Mes petites amoureuses », « Accroupissements », d'autres encore que Rimbaud ne cite pas. Les mutations sont rapides chez lui, elles sont brusques : en 1872 il ne songe plus qu'à des « chansons » (13), à des « romances ». Ce dernier terme est celui qu'il retiendra l'année suivante quand il établira le bilan de son « Alchimie du verbe » (14).

Je ne tenterai pas non plus d'établir quelque parallèle que ce soit entre les *Romances sans paroles* et les *Illuminations*. Très certainement plus tardives, ces proses illustrent encore une autre tentative de Rimbaud, moins alchimique cette fois que démiurgique.

Je m'en tiendrai donc à cette époque continue de vrai compagnonnage poétique, mai-décembre 1872, qui précède le premier départ de Rimbaud. Les faits sont ténus en apparence, mais précis ; la référence à Favart, l'évocation de Bruxelles, la poésie du rien.

(7) C'est ce que tend à penser Octave Nadal, *Paul Verlaine*, Mercure de France, 1961, p. 153-154.
(8) Hypothèse d'Antoine Adam, *Verlaine*, Hatier-Boivin, 1973, p. 93, de J. Robichez, éd. cit., p. 583.
(9) Voir Antoine Fongaro, « Les échos verlainiens chez Rimbaud et le problème des *Illuminations* », *Revue des Sciences humaines*, avril-juin 1962, p. 263-272.
(10) Voir la démonstration de J. Robichez, éd. cit., p. 139-140.
(11) Voir la démonstration inverse et parallèle de Suzanne Bernard dans son éd. des *Oeuvres* de Rimbaud, 1960. André Guyaux n'y change rien dans sa révision de cette édition, Garnier, 1981, p. 146-147.
(12) *Op. cit.*, p. 40 (influence de Verlaine sur Rimbaud), 108 (l'impressionnisme des *Romances sans paroles* est le résultat de « l'influence d'Arthur Rimbaud »).
(13) Selon le témoignage d'Ernest Delahaye, qui d'ailleurs se trompe quand il parle du début de l'année 1873.
(14) *Une Saison en enfer*, éd. S. Bernard — A. Guyaux, p. 230.

A propos d'une ariette oubliée de Favart

Le nom de Verlaine est souvent associé à celui des musiciens qu'il a inspirés : le Debussy des *Ariettes oubliées* et de la *Suite berga-masque,* le Fauré des *Mélodies de Venise* et de *La Bonne chanson.* Les *Romances sans paroles* ont été particulièrement sollicitées. Les *Ariettes oubliées* de Debussy (1888) comprennent trois ariettes propre-ment dites (1. « C'est l'extase » ; 3. « Il pleure dans mons cœur » ; 9. « L'ombre des arbres »), un des « Paysages belges » (« Chevaux de bois ») et deux des « Aquarelles » *(« Green » et « Spleen »).* Gabriel Fauré a mis en musique la première des « Ariettes oubliées », la pre-mière des « Aquarelles » *(« Green »)* et, sous le titre trompeur de « *Spleen* » *(op.* 51, 1889), « Il pleure dans mon cœur ». C'est dire que les compositeurs se plaisent à bouleverser l'ordre du recueil, à négli-ger les caractéristiques propres des ariettes.

Musicalement, l'ariette est un petit air. Elle ne se confond ni avec l'*aria*, plus développée, ni avec la chanson, plus populaire. C'est pour-quoi la première épigraphe de « C'est l'extase » devait être effacée : à la chanson (« Au clair de la lune mon ami Pierrot ») s'est substituée une ariette de Favart :

« Le vent dans la plaine
   Suspend son haleine ».

Mais Rimbaud peut être le responsable de cette modification.

En effet, le 2 avril 1872, Verlaine, assis au café de la Closerie des lilas, écrivait à Rimbaud, alors à Charleville :

« Bon ami,
C'est charmant, l'*Ariette oubliée,* paroles et musique ! Je me la suis fait déchiffrer et chanter ! Merci de ce délicat envoi ! » (15).

Qu'il s'agisse d'une ariette de Rimbaud lui-même, c'est très improbable. Verlaine remercie, il ne félicite pas. Et d'ailleurs comment Rimbaud aurait-il composé la musique ? Il est bien plus vraisemblable que Rim-baud a envoyé à Verlaine une ariette ancienne, avec la partition musicale. Charles de Sivry, le demi-frère de Mathilde, ou Mathilde elle-même, ou Madame Mauté ont pu la déchiffrer sur le piano, puis la chanter.

A Charleville, Rimbaud a repris le chemin de la Bibliothèque municipale. L' « assis », M. Hubert, maugrée quand il doit remettre à ce lecteur singulier les « *libretti* » de Favart dont il est friand : le renseignement vient de Verlaine lui-même, de la notice sur « Arthur Rimbaud » dans *Les Poètes maudits* (16). « Alchimie du verbe » confirmera ce goût qu'il eut, un certain temps, pour les « opéras vieux, refrains niais, rhythmes naïfs ».

---

(15) *Oeuvres complètes,* éd. cit., t. I., p. 971.
(16) Verlaine, *Oeuvres complètes,* éd. cit., t. I., p. 478.

La bibliothèque de Charleville a conservé ces volumes dont Rimbaud faisait ses délices au début du printemps de 1872. On y trouve la *Suite du répertoire du théâtre françois* par Lepeinte : le tome I des *Opéras-comiques en vers*, publié en 1822 chez la veuve Dabo, contient, outre une importante notice sur l'opéra-comique, donnant la prime à Favart, cette *Ninette à la cour, ou le caprice amoureux*, d'où est extraite l'ariette citée par Verlaine. Mais c'était une édition trop récente pour un amateur de livres anciens. De plus, la musique en est absente. Au contraire pour *Les Moissonneurs* (17) et pour *Le Caprice amoureux, ou Ninette à la cour* (18) — malgré l'inversion, c'est la même pièce ! — la bibliothèque de Charleville possède l'édition originale avec, en fin de livret, les « Ariettes séparées » et leur musique. L' « Ariette oubliée » dont parle Verlaine dans sa lettre du 2 avril 1872 pourrait être la première ariette de Gennevote, mise en musique par Monsieur Duny, dans *Les Moissonneurs* :

> « Le temps passe, passe,
> Comme ce fil entre mes doigts ».

Mais elle est plus vraisemblablement l'ariette de Ninette :

> « Le vent dans la plaine
> Suspend son haleine
> Mais il s'excite
> Sur les coteaux ».

Verlaine a pu acquérir par la suite un volume analogue à la *Suite du répertoire*. Une lettre du 8 novembre 1872 le donne à penser. De Londres il écrit alors à Lepelletier pour qu'il récupère rue Nicolet, dans l'appartement des Mauté, un grand nombre d'objets dont il dresse la liste. Parmi eux se trouve le manuscrit perdu de *La Chasse spirituelle*, d'Arthur Rimbaud. Parmi eux se trouve aussi « un recueil de pièces (XVIIIe siècle), entr'autres : *Ninette à la cour*, par Favart, avec une eau-forte initiale » (19). Vers la fin de la première période de son séjour londonien, Rimbaud étant encore là, il associe donc le texte de Favart et son compagnon, qui le lui a révélé.

Le rapprochement entre « C'est l'extase langoureuse », première des « Ariettes oubliées », et l'ensemble de l'opéra-comique est inutile. Jacques Robichez l'a montré d'une manière décisive (20). La lecture complète de l'ariette où Ninette oppose la vie des champs et la vie de la cour n'apporterait rien. L'analogie est essentiellement dans le suspens : l'abolition du vent, l'abolition du temps créent l'extase même. Immobilité des corps (« la fatigue amoureuse »), immobilité des brises

(17) Paris, veuve Duchesne, 1768.
(18)
(19) *Oeuvres complètes*, t. I, p. 1005. Pour J. Robichez il s'agit du t. I. du *Théâtre de l'opéra-comique*, Nicolle, Le Normant, 1811.
(20) Ed. cit., p. 579-580.

dans leur étreinte : à la faveur de cet état de torpeur peut s'émouvoir un chant qui est le chant de l'enfance du monde. Car cette musique elle-même ne va pas quelque part, elle revient, comme l'eau qui vire, comme les cailloux qui roulent, comme la lamentation récurrente de l'âme.

Ce n'est certainement pas de la poésie objective au sens où Rimbaud entendait le terme en mai 1871 (21). Les devoirs à l'égard de la société sont bien oubliés, et bien lointaine cette Commune que Verlaine ne tient guère à rappeler. A supposer que l'objectivité soit celle de l'*autre* qui surgit en *moi* (22), elle ne ressemble en rien à l'introduction du « Tu », au vers 11, resserrant l'intimité avec une seconde personne dont l'identité, comme dans l'ariette 4, est soigneusement réservée. On songe à tel *duetto,* dans les *Romances sans paroles* de Mendelssohn (op. 38, n° 6) : après un long prélude qui voudrait être neutre comme une série d'arpèges (« c'est », « c'est », « c'est », « c'est », « cela », « cela », « cela ») naît une confidence amoureuse, s'esquisse la possibilité d'un dialogue (« La mienne, dis, et la tienne »). Mais toute différence s'abolit en un « nous » (« c'est la nôtre, n'est-ce pas ? »). L'*autre* n'est que *moi.* La poésie subjective se continue en une subjectivité partagée. On est aussi loin que possible et du Rimbaud de 1871 et des *Illuminations.* En revanche, dans « L'Eternité » (mai 1872) s'engage bien aussi le dialogue tendrement murmuré avec l' « âme sentinelle ». « Age d'or » (juin 1872) fait entendre « le chœur des petites voix ». Et les « chansons spirituelles » qui voltigent dans « Bannières de mai » (mai 1872) traduisent aussi en termes de nature (23) ce qui se passe ailleurs, en moi, et en cet autre moi qui est toi.

La troisième des « Ariettes oubliées », celle qu'Octave Nadal a joliment appelée « l'ariette de la pluie », ne cherche pas à approfondir l'analogie entre le moi et le monde. Elle l'énonce en termes plus simples, dans une comparaison qu'on dirait presque banale :

> « Il pleure dans mon cœur
> Comme il pleut sur la ville ».

Le trait de génie est ici l'emploi du verbe pleurer à l'impersonnel : ce nivellement grammatical (« il pleure » / « il pleut »), renforcé par le jeu de l'assonance, a la même fonction que les deictiques de la première ariette. Ce neutre obstiné sert paradoxalement de soutien à l'expression d'une peine intime qui ne parvient pas à trouver son propre secret.

Au vers de Longfellow qu'il avait d'abord placé en épigraphe, « *It rains, and the wind is never weary* », Verlaine a là encore substitué, sur le manuscrit même, un octosyllabe d'Arthur Rimbaud :

---

(21) Lettre du 15 mai à Georges Izambard, éd. cit., p. 345. Cette poésie objective n'a rien à voir avec la poésie impressionniste, comme le croit Octave Nadal, *op. cit.,* p. 109.
(22) C'est la seule explication qui demeure dans la lettre à Demeny du 15 mai 1871.
(23) Je reprends l'expression à Octave Nadal dans son commentaire très pénétrant de la première ariette, *op. cit.,* p. 111.

« Il pleut doucement sur la ville ». le parallèle s'impose entre l'ariette de l'extase et l'ariette de la pluie : même présence de l'épigraphe (alors que le deuxième ariette en est dépourvue,), même nécessité du remplacement de l'épigraphe à un certain moment, même tonalité d'un texte cité qui est déjà une ariette et qui dit l'accalmie ou la monotonie du monde.

L'ariette de Favart était oubliée, jusqu'au moment où Rimbaud l'a rappelée à Verlaine. L'ariette de Rimbaud est absente. C'est en vain que les éditeurs de Rimbaud (par exemple Antoine Adam pour la « Bibliothèque de la Pléiade ») font entrer cet octosyllabe dans ses œuvre complètes. Il est bien plutôt, comme l'a suggéré Jacques Robichez, un mot insignifiant érigé en mot de passe (24). Est-ce une banalité admirée dans la bouche de l'ami ? Est-ce un faire-valoir pour le poème ? Il n'a d'autre vertu que sa neutralité, sinon ce rythme qui de la parole quotidienne fait déjà un vers. C'est une ariette oubliable, qui pourtant résurgit à la surface de la mémoire, comme ce deuil sans raison ne veut pas s'en aller.

La menace de la banalité, Verlaine la connaît trop bien. Il l'a dénonce, mais il l'avoue aussi, dans la seconde ariette, qui n'a pas d'épigraphe parce qu'elle l'a perdue en même temps que son titre. Le passage des « voix anciennes » à « l'aurore future », le va-et-vient du passé indistinct à l'avenir indécis, — qui est le balancement même de l'escarpolette —, est encore mouvement de l'oublié à l'oubliable, ou, plus précisément du pas tout à fait oublié à ce qui ne sera peut-être pas oubliable. Mais en-deçà, au-delà, n'est-ce pas presque toujours la même chose ? « Les voix anciennes », les « lueurs musiciennes » ne rendent-elles pas à peu près le même son ? Le « il pleut sur la ville » de Verlaine, faisant écho au « il pleut doucement sur la ville » de Rimbaud, ne reprend-il pas tous les « il pleut » passé, n'annonce-t-il pas tous les « il pleut » futurs ? « L'ariette (...) de toutes les lyres » est beaucoup moins de la poésie objective que de la poésie impersonnelle. Le soupir qui accompagne cette constatation (« L'ariette, hélas, de toutes les lyres ») exprime, non pas le regret d'une ariette oubliée, mais la crainte d'avoir retrouvé une ariette inoubliée, oubliable puisqu'elle est celle de tout le monde.

Lautréamont se félicitera de ce que « la poésie soit faite par tous, non par un ». Quand Verlaine fait entendre un pot-pourri de toutes les chansons connues (« Ariettes oubliées », 6 : « C'est le chien de Jean de Nivelle »), quand Rimbaud devient le lieu d'un « opéra fabuleux » dont « Age d'or » devait être l'illustration (25), ils découvrent plutôt une limite du chant, celle de l'impersonnel, de la collection de refrains sempiternels (26). Mais, plus subtilement, ils font sentir la possibilité même qui leur reste : la subtile variation sur l'air connu, la dissonance qui s'introduit et qui permettra d'entendre différemment une ariette qui, parce qu'elle était platement ressassée, était oubliée.

---

(24) Ed. cit., p. 583.
(25) Voir le brouillon d' « Alchimie du verbe »
(26) Voir les indications *terque quaterque, pluries, indesinenter* sur l'un des manuscrits d' « Age d'or ».

Pour le lecteur d'aujourd'hui les livrets d'opéra-comique du XVIIIe siècle apparaissent comme des déserts de paroles. C'est vrai des livrets de Favart, c'est vrai tout aussi bien du *Devin de village* de Jean-Jacques Rousseau. Peut-être fautdrait-il retrouver la musique des ariettes (comme l'ont fait, pour l'une d'entre elles, Rimbaud et Verlaine). Peut-être suffit-il de retrancher des paroles, comme l'a fait Verlaine. Car alors que l'ensemble des quatre vers était franchement calamiteux, les deux premiers, isolés, paraissent d'une beauté toute fraîche :

« Le vent dans la plaine
Suspend son haleine ».

C'est comme une invitation à cet autre point limite, la romance sans paroles. A partir de 1828, Mendelssohn avait écrit la longue série de ses *Lieder ohne Worte* pour piano. Il voulait faire concurrence aux *Lieder* alors en vogue, se passer des paroles des poètes que pourtant il aimait, et prouver que la mélodie, le *cantabile spianato*, n'est pas le privilège de la voix. Il est paradoxal d'emprunter des paroles à des *Romances sans paroles* comme l'ont fait Debussy et Fauré. Celui-ci était peut-être plus proche de l'esprit verlainien quand il écrivait sa première composition pianistique, les *Trois romances sans paroles* op. 17 (27). En choisissant la discrétion de l'instrument et plus particulièrement « le piano que baise une main frêle », il respectait davantage le ton d'une confidence qui voudrait pouvoir se passer de mots.

Cette confidence, il est vrai, s'exprime. Elle continue de passer par les mots. Et, comme le fait finement observer Jacques Robichez, il y a parfois trop de paroles encore dans les parties les moins bien venues des *Romances sans paroles*. La prolixité de « *Birds in the Night* » viole la règle implicite d'économie contenue dans le titre du recueil. Il arrive que Verlaine cède à la facilité, à l'épanchement sentimental, qu'il pousse sa romance. Rien de tel en tout cas dans les « Ariettes oubliées ». Il a suffi de deux vers de Favart...

L'évocation de Bruxelles

Le 10 juillet 1872, Verlaine et Rimbaud passent la frontière belge. Délivré de la « Misérable fée carotte », de la « princesse souris », Verlaine écrit à Lepelletier : « Je voillage vertigineusement ». Chacun des « Paysages belges » sera conquis sur tous ceux qui jusqu'ici ont bridé sa liberté. L'ordre de la série sera le chapelet même des villes traversées, Walcourt, Charleroi, Bruxelles, Malines. Et ce journal de

(27) Publiées en 1880, elles ont sans doute été écrites plutôt, peut-être même dans une ère antéverlainienne, si l'on retient la date de 1863 proposée par Jean-Michel Nectoux (*Gabriel Fauré*, éd. du Seuil, coll. « Solfèges », 1972, p. 13). Mais la publication même sous ce titre, en 1880, est bien un hommage rendu à Verlaine, et Alfred Cortot a su reconnaître dans la première « la grâce mélancolique et légère d'un colloque sentimental » (*La musique française de piano*, Première série, Rieder, 1932, p. 147).

voyage est daté. Juillet 1872 (28), à Walcourt, c'est l'inauguration
de l'errance à deux, l'attente des « gares prochaines ». Août 1872,
à Malines, le train est lancé, « les wagons filent en silence » dans un
espace monotone où le regard poétique cherche pourtant et trouve des
détails féériques.

Bruxelles, le lieu inartistique par excellence si l'on en croit Baudelaire, devient l'occasion d'un tel exercice du regard. C'est un « Sahara »
selon Rimbaud (29) comme la Flandre est pour Verlaine un « Sahara
de prairies » (30). Mais les deux poètes veulent ne retenir de ce désert
que des mirages. Une sorte de concurrence amicale s'établit entre eux,
dont témoignent aussi bien les « Paysages belges », dans les *Romances
sans paroles,* que les strophes de Rimbaud datées de « juillet, Bruxelles,
Boulevard du Régent *(sic)* » (31).

L'indication de lieu parvient difficilement à devenir un titre. Le
poème de Rimbaud ne devrait être désigné que par son *incipit,* « Plates-
bandes d'amarantes » (32). Le statut du nom de la capitale belge est
également flou dans les *Romances sans paroles.* Il n'apparaît que dans
le manuscrit envoyé à Emile Blémont le 22 septembre 1872. Et s'il
tend à devenir titre dans le manuscrit adressé à Lepelletier le 19 mai
1873 et dans l'édition originale, il est redoublé par les sous-titres
(« Bruxelles. — Simples fresque I et II », « Bruxelles. — Chevaux de
bois »). On observera seulement cette différence : chez Rimbaud les indications de lieu sont conjointes, en tête du poème (« Bruxelles, Boulevard du Régent ») ; chez Verlaine, elles sont disjointes, le nom de ville
venant d'abord, et à la fin du poème la précision d' « Estaminet du
Jeune Renard » ou « Champ de foire de Saint-Gilles ».

La date est à elle seule indication de lieu. Les deux strophes de
Rimbaud, également sans titre, qui commencent par l'interrogation
précieuse et mystérieuse « est-elle almée ?, ne peuvent qu'être inspirées
par Bruxelles — et non par Londres, comme le suggérait Suzanne
Bernard —, puisqu'elles sont datées de juillet 1872. D'ailleurs l'exclamation redoublée « C'est trop beau ! c'est trop beau ! » (v. 5) est
celle-là même de « Plates-bandes d'amarantes » (v. 23-24) :

> « Et puis
> C'est trop beau ! trop ! Gardons notre silence ».

« Fêtes de la faim », daté d'août 1872, est encore un poème bruxellois :
c'est la date des « Simples fresques » et de « Chevaux de bois ».

---

(28) La date de juillet 1873, dans l'édition originale, était une coquille typographique.
(29) « Plates-bandes d'amarantes », éd. cit., p. 166.
(30) « Malines » v. 9. Le rapprochement est fait par J. Robichez, éd. cit., p. 591,
n. 4.
(31) La datation proposée par Robert Goffin (*Rimbaud vivant,* Corréa, 1937),
— juillet 1873 —, ne saurait être maintenue.
(32) Paul Hartmann a justement fait observer que Bruxelles n'était pas un titre
(*Oeuvres* de Rimbaud, Club du meilleur livre, 1957). Ce titre est pourtant main-
tenu par les éditeurs les plus récents, même par A. Guyaux dans la refonte de l'éd.
S. Bernard.

Les lieux, les dates ne sont pas seuls à se répondre d'un poète à l'autre. Des analogies, parfois ténues, montrent bien la naissance d'un chant amébée. Le chant de l'oiseau, dans la première des « Simples fresques », fait écho au piaillement, autrement bruyant il est vrai, des « troupes d'oiseaux » boulevard du Régent. « La ville énormément florissante », dans « Est-elle almée ? », c'est encore la ville des « messieurs bien mis », des « amis / Des Royer-Collards », dans la seconde fresque. Et comment n'a-t-on pas remarqué que le manège des chevaux de bois continue à tourner dans les « Fêtes de la faim » :

> « Tournez, tournez, bons chevaux de bois »
> « Mes faims, tournez. Paissez, faims,
>   Le pré des sons !
> Attire le gai venin
>   Des liserons ».

Verlainienne ou rimbaldienne, la peinture s'organise autour du château : « l'agréable palais de Jupiter » vers lequel conduisent les plates-bandes d'amarantes, le « château tout blanc », au bout sans doute de « l'allée sans fin ». Dans les deux cas, il est associé au soleil de juillet ou d'août, soleil brûlant, soleil couchant. Est-il royal, est-il ducal ? La question ne se pose guère pour Rimbaud, car cette architecture olympienne peut fort bien n'être que le produit d'une « hallucination simple » (33). Il voit un palais Boulevard du Régent comme il voit une mosquée à la place d'une usine. Il suffit pour cela des plates-bandes d'amarantes, préambule suffisant à une noble construction. Verlaine est plutôt en quête d'un refuge pour des amours cachées : le château tout blanc peut en tenir lieu comme les petites maisons de Walcourt, comme les allées d'arbres. Création d'un fantasme de puissance chez Rimbaud, il est chez Verlaine la création d'un fantasme d'intimité.

D'un bout à l'autre, « Plates-bandes d'amarantes » apparaît comme une suite d'évocations libres ayant pour point de départ le jeu du soleil de juillet sur le Boulevard du Régent. Le nom seul (Régent, *Rex*) suffirait à susciter la vision royale. Mirages, emprisonnements, réminiscences littéraires, souvenirs, images exotiques, c'est une foule de fantasmes qui se déploie dans la « stupeur extatique » d'une journée de juillet, et Rimbaud en rend grâces au lieu qui les a suscitées, dans une strophe finale parfaitement claire. Car si le boulevard du Régent est « sans mouvement » et « muet », il a suscité un spectacle qu'on pourrait dire cinématographique, une suite dynamique d'images, « tout drame et toute comédie ».

Avec les mêmes couleurs (Rimbaud : « rose et sapin » ; Verlaine : « verdâtre et rose »), le même souci de ménager une perspective (la « fuite »), Verlaine sacrifie les premiers plans criards à l'évanescence

---

(33) « Alchimie du verbe », éd. cit., p. 230. L'hallucination simple est la substitution volontaire d'une image fantasmatique à un objet réel. Rimbaud lui-même la présente comme le fondement de sa poétique nouvelle, celle de 1872.

des lointains. Le soleil n'est pas ici dant toute sa force tropicale, il est
un or qui ensanglante, un couchant déjà comme cet été qui — oh !
à peine — prend des teintes d'automne. La langueur estivale serait
presque confondue avec une pointe de tristesse (re)naissante. Verlaine
est près de retomber dans sa mélancolie habituelle. Au contraire Rimbaud est là, qui piaffe d'un enthousiasme presque trop voyant, presque
trop volontaire, comme tendu dans sa volonté de rendre à l'autre « à
son état primitif de fils du soleil » (34). On devine, à la fin de ce vertigineux voyage en Belgique, que pour l'un des deux vagabonds il sera
peut-être le voyage du rien.

La poésie du rien

Dans la Préface qu'il écrivit pour l'édition Vanier des *Oeuvres
complètes* de Rimbaud en 1895, Verlaine écrivait :

> « Rimbaud fut un poète mort jeune... nous n'avons pas de vers de lui
> postérieur à 1872 ».

Le renseignement n'est sans doute pas tout à fait exact : les deux
poèmes en vers libres, « Marine » et « Mouvement », le « Rêve »
de chambrée inséré dans une lettre à Delahaye du 14 octobre 1875
sont postérieurs à cette date. Mais il est vrai que Rimbaud sera presque
exclusivement par la suite un poète en prose et que les « Derniers
vers » (35), ceux de l'année 1872, ne ressemblent pas aux précédents.
     On doit aborder avec prudence cette production rimbaldienne
de l'année 1872. Même Bouillane de Lacoste — qui ne manque pas
toujours d'audace — écrit à ce propos : « Ici nous nous engageons
dans l'inconnu » (36). Raison de plus pour s'accrocher très fermement
au connu. Le connu, ce sont d'abord les dates qui figurent sur les
manuscrits autographes de Rimbaud. La première, et la plus fréquente,
est mai 1872 : on la trouve pour une version de « Larme », une version
de « La Rivière de cassis » (37), pour une version de la « Comédie de
la soif », que Rimbaud avait données à son ami le dessinateur Forain,
dit « Gavroche ». Même date pour une version de « Bonne pensée
du matin », poème probablement écrit après le retour à Paris, vers
le 18 mai, et l'installation provisoire rue Monsieur-le-Prince, dans une
mansarde donnant sur un jardin du lycée Saint-Louis. Même date
encore pour une version de « Bannières de mai », une version de la
« Chanson de la plus haute tour », une version de « L'Eternité ». Ces
trois poèmes ont été réunis avec un quatrième, « Age d'or », à l'intention de Jean Richepin, mais « Age d'or » est daté de juin, et la table
des matières ainsi que le titre de ce petit recueil, « Fêtes de la patience », sont assurément de la même date, même si elle n'est pas indiquée (pourquoi d'ailleurs une table des matières serait-elle datée ?).

---

(34) « Vagabonds », dans les *Illuminations,* éd. cit., p. 278.
(35) Titre factice, contesté par certains éditeurs qui préfèrent « Vers nouveaux
et chansons ».
(36) Dans son édition critique des *Poésies,* Mercure de France, 1939, p. 43.
(37) Ces deux poèmes ont pu être écrits dans les Ardennes au début du mois de mai.

Juin — ou plutôt dans le nouveau langage rimbaldo-verlainien « jūmphe » —, c'est la date d'une importante lettre de Rimbaud à son camarade de Charleville Ernest Delahaye, pour l'inviter à ne pas « (s)e confiner dans les bureaux et maisons de famille » : invitation au (vertigineux) voyage... Cette lettre nous renseigne aussi sur le nouveau séjour parisien : après la chambre de la rue Monsieur-le-Prince, c'est rue Victor Cousin, à l'Hôtel de Cluny, que Rimbaud a élu domicile, ou plutôt que Verlaine, qui paie, a élu domicile pour lui. Elle éclaire surtout l'immédiate production poétique de Rimbaud, et la place qu'y occupent ses soifs et ses faims.

Or mai-juin 1872, telles sont les dates indiquées par Verlaine à la fin de la série des neuf « Ariettes oubliées ». Avec Jacques Robichez (38), je considère que ce sont bien là les dates de la série tout entière. Verlaine n'est pas Hugo, et il n'y a pas lieu de mettre en doute l'authenticité de cette datation. Mais si l'on fait le rapprochement avec les poèmes de Rimbaud précédemment mentionnés, on s'aperçoit que la date « mai, juin 1872 » est presque une manière de signer « le compagnon de Rimbaud ». En d'autres termes, le chant amébée que faisait entendre l'été bruxellois a commencé dès la fin du printemps parisien. Il est moins chargé des soucis du « jeune ménage » (39), — quel qu'il soit — que tendu par la volonté de dire l'indicible, qu'il s'agisse de « l'heure indicible, première du matin » (lettre à Delahaye, « Bonne pensée du matin ») ou de « l'ombre des arbres dans la rivière embrumée » (« Ariettes oubliées, 9). Pour Rimbaud la naissance de la lumière du jour sera le moment des « heures bleues » (40), comme pouvaient être bleus, pour Baudelaire, les cheveux de la femme aimée. Verlaine ne chargera pas l'ombre des arbres du poids des ténèbres, comme Edgar Poe (41) : il la rend à l'impalpable, à l'indistinct, à l'évanescent, avant de tout brouiller à la faveur d'une transposition (l'ombre ses arbres/la rivière, le voyageur/le paysage) et d'un renversement (les « espérances noyées » prenant la place des tourterelles dans les ramures).

Mai-juin 1872 c'est, pour l'un et pour l'autre, le temps de l'étude que Rimbaud, — parlant précisément de cette période —, caractérisera dans le texte-bilan, « Alchimie du verbe », comme étude des « silences », notation de « l'inexprimable », fixation des « vertiges ». Ce sont les « ormeaux sans voix » (Rimbaud, « Larme ») et l' « ennui de la plaine » (Verlaine, Ariettes oubliées, 8), le « brouillard triste / et blêmi » (Rimbaud, « Entends comme brame ») et le « paysage blême » (Verlaine, « Ariettes oubliées », 9), le vertige du passage de l'après-midi tiède à l'orage (Rimbaud, « Larme »), du passage du passé au futur (l'escarpolette de la seconde Ariette oubliée). Mais Rimbaud

---

(38) Ed. cit., p. 587-588.
(39) Un poème de Rimbaud, daté du 27 juin 1872, porte ce titre.
(40) « Est-elle almée ? », p. 168.
(41) *L'Ile de la fée* : « L'ombre des arbres tombait pesamment sur l'eau et semblait s'y ensevelir, imprégnant de ténèbres les profondeurs de l'élément » (traduction de Charles Baudelaire, dans les *Nouvelles histoires extraordinaires*).

cherche à fixer le vertige d'un monde qui se défait, Verlaine cède aux vertiges des émois amoureux, du « voillage » et bientôt de ce manège bruxellois qui n'en est que l'emblème.

Le moment du vertige est celui où se creuse un vide, où sous le miroitement des apparences s'insinue la menace du rien. L'écriture de la nuit, dans « Entends comme brame » ou dans la huitième Ariette oubliée, abolit presque immédiatement l'effet de lune. La poésie est poésie du rien. Aussi faut-il prêter une attention toute particulière à ce témoignage méconnu de Verlaine :

> « Sur le tard, je veux dire vers dix-sept ans au plus tard, Rimbaud s'avisa d'assonances, de rythmes qu'il appelait *néants* et il avait même l'idée du recueil : *Etudes néantes,* qu'il n'écrivit à ma connaissance, pas » (42).

Ce titre me paraît pourtant convenir admirablement aux poèmes que Rimbaud écrivait en 1872. Et les *Romances sans paroles* de Verlaine, écrites bien souvent en même temps et en même lieu, signalent dès leur titre même la sollicitation du négatif. C'est dire, pour un cœur qui s'épeure, la nécessité d'une langue qui s'épure. Mais c'est aussi jeter sur « l'hallucination des mots », comme sur « l'hallucination simple », le même soupçon d'inexistence.

Quand Verlaine écrivait sa « Mauvaise Chanson « (43), Rimbaud rêvait chansons, quand Verlaine égrenait ses *Romances sans paroles,* Rimbaud « disai(t) adieu au monde dans d'espèces de romances » (44). L'exemple même qu'il choisit est la « Chanson de la plus haute tour ». Il n'est pas le plus hardi, avec ses strophes de pentasyllabes et ses rimes croisées ou suivies. Dans « Alchimie du verbe », Rimbaud est obligé de tranformer son texte pour y introduire l'irrégularité du mètre,

> « Qu'il vienne, qu'il vienne, (5)
> Le temps dont on s'éprenne » (6).

Mais « Larme » déjà conjuguait le vers de onze pieds et la pratique progressive de l'assonance :

> « L'eau des bois se perdait sur des sables vierges,
> Le vent, du ciel, jetait des glaçons aux mares...
> Or ! tels qu'un pêcheur d'or ou de coquillages,
> Dire que je n'ai pas eu souci de boire ! »

Ce vers de onze pieds, Verlaine aussi l'inaugure dans les *Romances sans paroles,* dans la quatrième ariette par exemple (44). Mais jamais il ne va

---

(42) « Arthur Rimbaud », article de Verlaine publié en anglais dans *The Senate,* octobre 1895, n° 20-21. Voir V.-P. Underwood, *Verlaine et l'Angleterre,* Nizet, 1956 et Henri Peyre, *Rimbaud vu par Verlaine,* p. 113. Antoine Adam attribue à tort à Delahaye ce témoignage (Rimbaud, Oeuvres complètes, Gallimard, 1972, p. 924).
(43) C'était le premier titre prévu pour le recueil.
(44) Sur ce point voir O. Nadal, *op. cit.,* p. 152.

jusqu'à l'assonance. On est même en droit de penser que l'association de « huches » et d' « aristoloches » dans « Jeune ménage », l'abolition complète de la rime dans « Bannières de mai » ne furent pas de son goût.

Plus tard, en tout cas, il s'est montré critique à l'égard des « espèces » de romances » de Rimbaud. Il l'accuse en 1884 d'avoir « vir(é) de bord » et d'avoir « travaill(é) (lui !) dans le naïf, le très et le trop simple, n'usant plus que d'assonances, de mots vagues, de phrases enfantines ou populaires ». Avec quelques réussites sans doute : « il accomplit ainsi des prodiges de ténuité, de flou vrai, de charmant presque inappréciable à force d'être grêle et fluet ». Mais le vice de forme était fondamental : le poète, « le poète correct disparaissait » (45). Non que Verlaine revînt à un quelconque moralisme. Mais le voilà devenu un ardent défenseur de la rime, « ce bijou d'un sou » auquel, à dire vrai, il n'avait pas cessé d'être attaché.

Le chant amébée s'est tu. Verlaine veut maintenant donner l'image d'une brutale séparation de leurs chemins poétiques, d'une ruineuse hétérodoxie. Ne s'est-il pas plutôt séparé de lui-même ? Cette séparation est déjà sensible dans le recueil des *Romances sans paroles*. Plus rien ne consonne à la nouvelle poétique rimbaldienne dans *Birds in the Night* » et dans les « Aquarelles ». Verlaine revient même à « la poésie subjective », parfois « horriblement fadasse » (46). A Londres, lors des séparations et des retrouvailles de la fin 1872, du début 1873, l'échange poétique entre eux a changé. *Beams »*, « Mouvement » pourront bien évoquer une traversée à deux : tout les oppose — la versification (alexandrins rimés / vers libres non rimés), le mouvement (progression régulière / chaos du *strom*), la signification (allégorie de l'Espérance / vertige diluvien) — et à l'extase langoureuse Rimbaud a définitivement substitué l' « extase harmonique », la création, dans la musique, d'un monde nouveau.

« Rien qui pèse ou qui pose » : quiconque s'efforce d'étudier les influences qui ont pu s'exercer sur Verlaine, et en particulier sur les *Romances-sans paroles* doit avoir cet interdit présent à l'esprit. Même s'il a connu la tentation de la forme musicale romantique, Verlaine reste à quelque distance du *Lied* mendelssohnien. La présence de Rimbaud est bien plus sensible dans le recueil de 1874. Il s'agit moins d'une « rencontre », comme l'écrit Octave Nadal (47), — le terme se justifierait mieux en 1871 —, que d'une convergence momentanée : le temps d'un printemps parisien, d'un été en Belgique. Pendant quelques mois de l'année 1872 Verlaine et Rimbaud ont connu une extraordinaire émulation pour une poétique musicienne (plus que musicale), qui fût paradoxalement une manière d'écrire le silence, pour des « études néantes », des poèmes du rien, qui n'en ont que plus de grâce ou de force. « L'ariette (...) de toutes les lyres » était peut-être, en définitive, celle qui s'efforçant ainsi de conjurer le néant, finissait par le chanter.

---

(45) *Les Poètes maudits, Oeuvres complètes,* t. I, p. 488.
(46) Lettre de Rimbaud à Georges Izambard, 13 mai 1871, éd. cit., p. 345.
(47) *Paul Verlaine,* p. 155.

Plus tard, Verlaine a perdu le sens de la musique néante de son compagnon de naguère. Aujourd'hui, certains restent sourds à celle de ces *Romances sans paroles* (48). Peut-être y cherchent-ils désespérément ces paroles qui ne s'y trouvent point...

Pierre Brunel

---

(48) Tel Henri Peyre qui écrit ces lignes (pour moi effarantes) dans *Qu'est-ce que le Romantisme* ?, P.U.F., 1972, rééd. 1979, p. 198 : « Bien des verlainiens donneraient pour ces cent vers (la série qui s'ouvre sur « Mon Dieu m'a dit », dans *Sagesse*) la plupart des courts poèmes faits d'impressions fugitives et de rythmes populaires qui ont fait de Verlaine le poëte cher aux musiciens, et aux jeunes filles de naguère qui cultivaient le chant comme art d'agrément ».

LES SECRETS DES « ARIETTES OUBLIÉES »

Malgré les nombreux et excellents commentaires dont les *Romances sans Paroles* ont été l'objet, (1) l'interprétation psychologique du recueil demeure jusqu'à présent incertaine et soulève bien des problèmes. Deux des sections, *Ariettes oubliées* et *Aquarelles,* sont dans l'ensemble mystérieuses — sinon hermétiques — et pleines d'embûches. Quelle est l'identité de l'interlocuteur caché derrière le pronom possessif *« la tienne »* dans la troisième strophe de la première *Ariette* ? A quoi fait allusion le *« contour subtil des voix anciennes »* et le *« cher amour qui t'épeures »,* dans cette *« escarpolette »* qui *« balance jeunes et vieilles heures »,* de la seconde *Ariette* ? A Rimbaud ? A Mathilde ? ou y a-t-il une autre image quasi invisible dissimulée derrière ce voile de brume ? Quelle est exactement cette *« rivière »* de la huitième *Ariette,* qu'on a identifiée avec la Tamise, sans se rendre compte que la Tamise est un fleuve et que le poème est daté d'avant le départ de Verlaine pour l'Angleterre ? Qui est enfin cette *« Kate »* à qui le poète déclare son amour dans la sixième *Aquarelle* ? Et tant d'autres allusions obscures qui rendent le recueil si mystérieusement troublant ! Il n'est jusqu'au titre même qui n'a jamais été expliqué d'une façon définitive. Indique-t-il seulement la volonté du poète de rechercher avant tout la musique verbale, ou invite-t-il aussi le lecteur à ne pas prendre au pied de la lettre le sens des mots et à tâcher d'en déchiffrer le secret ? D'autre part, dans quelle mesure la présence de Rimbaud est-elle sensible dans le recueil, et quelle est la part exacte de Mathilde, en dehors des poèmes qui lui sont nettement consacrés,

---

(1) Parmi les plus importantes, citons celles de : Pierre Martino, *Paul Verlaine* (Paris, Boivin, 1924 ; nouv. éd. 1944 →) ; Antoine Adam, *Verlaine, l'homme et l'œuvre* (Paris, Hatier-Boivin, 1953 →) ; Octave Nadal, *Paul Verlaine* (Paris, Mercure de France, 1961) ; Jacques Borel, *Oeuvres poétiques complètes de Paul Verlaine* (Bibl. de la Pléiade, Paris, Gallimard, 1965 →) ; Jacques Robichez, *Verlaine, Oeuvres poétiques* (Paris, Garnier, 1969) ; H. de Bouillane de Lacoste et Alfred Saffrey, « Verlaine et les *Romances sans paroles* », *Mercure de France,* 1er août 1956, pp. 635-652 ; Claude Cuénot, « L'Évolution de Paul Verlaine », *Le Ruban Rouge,* sept. 1961, pp. 54-65, et *Le Style de Paul Verlaine* (Paris, C.D.U., 1962, nouv. éd. 1969) ; E. Zimmermann, « Notes sur la structure des *Romances sans paroles* et de *Cellulairement* » [repris dans *Magies de Verlaine*], *Revue des sciences humaines,* avril-juin 1965, pp. 269-281.

Birds in the Night et *Child Wife* ? Autant de points d'interrogation
auxquels il est nécessaire de répondre dans toute interprétation sérieuse
de ce recueil, qui est considéré à juste titre comme le chef-d'œuvre
de Verlaine, ... avec les *Fêtes Galantes*.

Quelques mots d'histoire nous permettront tout d'abord de mieux
préciser la place du recueil dans l'œuvre du poète et peut-être d'en
éclairer certains points obscurs. Les *Romances sans Paroles* parurent
il y a un peu plus d'un siècle, en 1874, sans nom d'auteur, par les
soins de Lepelletier, l'ami d'enfance de Verlaine, celui-ci se trouvant
en prison à cette époque. Le recueil passa inaperçu. Aucun des 300
exemplaires auquel il fut tiré ne fut vendu. Verlaine en offrit 70 à ses
amis, aux journalistes et aux critiques. Seul Emile Blémont, un autre
ami du Parnasse, en rendit compte dans un entrefilet banal et injuste (3).
Il y mettait le doigt cependant sur la plaie (sur l'énigme qui nous intéresse) sans s'en apercevoir et sans deviner la cause du « *vrai mal secret
de* [s]*on cœur* », comme dit Verlaine lui-même : (4) « *Nous venons
de recevoir les* Romances sans paroles *de Paul Verlaine. C'est encore de
la musique, musique souvent bizarre, triste toujours, et qui semble*
l'écho *de mystérieuses douleurs.* (5) *Parfois une singulière originalité,
parfois une malheureuse affectation de naïveté et de morbidesse. Voici
une des jolies mélodies de ces* Romances : [suit la première strophe de
la cinquième *Ariette oubliée* (*Le piano que baise une main frêle...*)]
*Cela n'est-il pas musical, très musical, maladivement musical ? Il ne faut
pas s'attarder dans ce boudoir.* »

Il fallut attendre plus de dix ans pour que le recueil sortît de
l'ombre — ainsi que toute l'œuvre d'ailleurs — et que la nouvelle géné-
ration considérât l'auteur comme un de ses maîtres. Un des plus fer-
vents thuriféraires, Charles Morice, — qui avait d'abord éreinté Verlaine
et son *Art Poétique* (6) — lui consacrera en 1888 tout un livre, le premier en date, où il encensera le poète et son œuvre. (7) Retenons-en
ces quelques membres de phrases relatives aux *Romances sans Paroles*,
peut-être soufflées par Verlaine lui-même à son jeune ami : « *merveilles
de pures sensations et de correspondances* », « *maîtrise absolue des
rythmes boiteux* », le poète y a mis tout « *l'imprévu* » de ses vagabondages, toutes les « *langueurs* » de son âme « *embrumée* » et « buttant
à ce passé dont il voulait s'éloigner ». (8) Il y eut aussi, avant lui,

---

(2) Lepelletier avait reçu le manuscrit dans la lettre de Verlaine du 19 mai 1973 :
« *Tu recevras, — en même temps que cette lettre — le* « *phâmeux manusse* ».
Dès que tu pourras, occupe-t-en [...] *C'est très en ordre, très revu.* » (*Corr.*, I, 102).
(3) *Le Rappel*, 6 avril 1874.
(4) Vers d'un poème de *Parallèlement* : « *Prologue d'un livre dont il ne paraîtra
que les extraits ci-après* ».
(5) C'est nous qui soulignons ; on comprendra pourquoi.
(6) Dans la *Nouvelle Rive Gauche* du 8-15 décembre 1882. Le compte rendu
était intitulé « Boileau-Verlaine » ; le lire dans notre édition des *Lettres inédites
de Verlaine à Charles Morice* (Genève, Droz, 1964 ; 2ème éd., Paris, Nizet, 1969)
pp. LI-LII, et la réponse de Verlaine, pp. 3-4.
(7) *Paul Verlaine* (Paris, Vanier, 1888), pp. 36-37.
(8) C'est nous aussi qui soulignons.

J.-K. Huysmans dans *A Rebours*, Maurice Barrès dans *Les Taches d'Encre*, pour dire leur admiration pour le poète qui avait pu *« exprimer de vagues et délicieuses confidences, à mi-voix, au crépuscule, laisser deviner certains au-delà troublants d'âme »*, (9) pousser des « plaintes qui meurent avec une tendresse incomparable » et soupirer des « murmures d'amour tristes à faire pleurer » (10).

Quand son entrée à l'hôpital Tenon aura apporté à Verlaine la gloire — et la misère ! (11) — Vanier réimprimera le recueil (1887), qui sera salué avec enthousiasme par Lepelletier dans un article de *L'Echo de Paris* (1er août), où il le montre comme *« du rêve condensé »*, et *« un des livres les plus curieux et les plus charmants qui soient. »* (12)

Ajoutons pour notre part : les plus parfaits surtout et aussi les savants, et qui aura une profonde et durable influence sur la poésie symboliste et sur toute la poésie moderne. Verlaine y proclamait par l'exemple les postulats fondamentaux de son *Art Poétique*, qui ont présidé à l'élaboration du recueil : priorité de la musique verbale, de la nuance, du clair-obscur, et nécessité pour la poésie d'être un chant de l'âme.

La genèse des *Romances sans Paroles* (que Verlaine avait songé un moment à intituler *La Mauvaise Chanson*), remonte à l'arrivée de Rimbaud à Paris en septembre 1871, et même au-delà. En réalité, c'est dans *La Bonne Chanson* elle-même qu'il faut voir l'origine du recueil. Certains vers annoncent déjà la tournure que prendront plus d'un poème des *Romances* : « *Les funestes pensées* » et les « *mauvais rêves* », l' « *ironie* » et les « *lèvres pincées* », « *les poings crispés et la colère* », et surtout « *l'oubli qu'on cherche en des breuvages exécrés* » et les « *chemins perfides* » — dont on devine le sens. Peut-être faut-il remonter plus loin encore, jusqu'à ce sonnet des *Poèmes Saturniens*, « *Angoisse* », qui n'est pas seulement une bravade de jeunesse, mais une espèce de prémonition qui laisse prévoir ce que sera l'avenir de Verlaine et les déboires qui le conduiront sur le chemin des *Romances sans Paroles*.

De toute façon, le recueil s'ouvre sur l'évocation de sensations et de sentiments antérieurs à l'arrivée de Rimbaud, à tout le moins antérieurs au départ de Verlaine pour la Belgique et l'Angleterre en sa compagnie. Aussi la dédicace « à Rimbaud » dont le poète voulait orner son recueil — « comme protestation », écrit-il, mais aussi comme défi à la morale bourgeoise — et à laquelle il renonça sur le sage conseil de Lepelletier, n'était-elle justifiée qu'à demi (13). Sauf deux ou trois

---

(9) *Oeuvres complètes de J.-K. Huysmans* (Paris, Crès, 1929), t. VII, p. 281.
(10) « La sensation en littérature », *Les Taches d'encre*, 5 décembre 1884.
(11) On connaît ses vers désabusés d'*Invectives*, intitulés « *Littérature* » :
        C'est ce qu'on appelle la Gloire
        — Avec le droit à la famine,
        A la grande Misère noire
        Et presque jusqu'à la vermine —
        C'est ce qu'on appelle la Gloire !
(12) *L'Écho de Paris*, 1er août 1887.
(13) Voir *Corr.*, I, 101-102 ; lettre du 19 mai 1873.

poèmes où l'allusion au jeune homme — d'ailleurs mitigée — ne fait
pas de doute, les *Romances sans Paroles* sont imprégnées de présence
féminine. Les trois-quarts au moins des pièces tournent autour de
la femme, vraie ou rêvée, légitime ou non, vivante ou ... morte. Elle
envahit les « *Ariettes Oubliées* » et les « *Aquarelles* », sans parler
de *Birds in the Night*.

Composées du printemps 1872 au printemps 1873, les *Romances
sans Paroles* malgré leur teinte irréelle empruntant au rêve sa démarche
éphémère et ses allures fugitives, se rattachent toutes, par un côté ou
un autre, à la réalité et à des événements précis qu'elles transcendent
et transfigurent à travers les frémissements du cœur et les tressaille-
ments de l'âme. La vie de Verlaine pendant cette période est trop bien
connue pour qu'il soit nécessaire de la rappeler ici sinon dans ses
grandes lignes pour localiser les poèmes : le mariage avec Mathilde,
célébré après de trop longues fiançailles, s'est soldé par une faillite
par suite des vieilles habitudes du poète et du jeune âge de sa trop
pudique femme (Verlaine lui reprochera amèrement sa jeunesse dans
Birds in the Night et *Child Wife*) (14). Un mois et demi à peine après
la cérémonie nuptiale, déçu par le mariage, Verlaine s'engage et monte
la garde sur les remparts. Il se saoule et se livre à des brutalités sur
sa femme. Quand Rimbaud débarque à Paris en septembre 1871 le
mariage était pratiquement ruiné et Verlaine était mûr pour l'aventure.
Il ne tardera pas à s'abandonner sans frein à sa passion..., « soulogra-
phie » et le reste. Les actes de violence sur la personne de sa femme se
multipliant, malgré la naissance de son fils Georges, Mathilde s'enfuit
chez son père, qui l'emmène à Périgueux avec l'enfant. Dégagé de
toute contrainte, Verlaine donne libre cours à ses tendances homosexuelles et cohabite avec Rimbaud pendant quelques semaines. (15)
Mais bientôt l'absence de Mathilde lui pèse ; il la supplie de revenir,
et renvoie Rimbaud à Charleville. Au début de mars Mathilde rentre
de Périgueux. Courte période d'acalmie, plus apparente que réelle,
car Verlaine continue à correspondre avec son ami. D'ailleurs celui-ci
ne tarde pas à revenir à Paris le 18 mai, et le 7 juillet, Verlaine sorti
pour aller chercher le médecin pour sa femme malade, rencontre
Rimbaud dans la rue et tout de suite les deux poètes quittent la capitale pour se rendre en Belgique où ils commencent leurs vagabondages
sans but.

C'est pendant les deux mois d'acalmie relative qui ont précédé
de peu ce départ que furent composées les *Ariettes Oubliées,* si l'on
en croit la date qui figure à la fin de la dernière pièce : « Mai, Juin
1872 », et qui s'applique sans doute aux neuf poèmes de la série. Si

---

(14) Ainsi que sa « frigidité ». C'est là sans doute la cause de leur mésentente.
Mais ces reproches devraient être retournés contre Verlaine lui-même, qui « n'a
pas eu toute patience ». (Voir aussi dans *Parallèlement*, « A Madame », et « *Le
Sonnet de l'Homme au sable* ».).
(15) Dans une mansarde rue Campagne-Première. Sur cette mansarde qui fuit
« *en cônes affligeants* » et sur les « *nuits d'Hercule* » qui s'y déroulèrent entre
les deux habitants de Sodome, voir le poème de *Jadis et Naguère*, « *Le Poète et la
Muse* » et l'ingénieux commentaire de Jacques Robichez (*op. cit.*, pp. 650-651).

cette date est exacte, — et il n'y a aucune raison sérieuse d'en douter — ces pièces seraient les plus anciennes du recueil. Elles le sont surtout par les sentiments qui les animent et par les « souvenirs » qu'elles évoquent. Verlaine s'y penche sur son passé — dont il est toujours prisonnier : regrets des premiers temps du mariage et de la *« lueur étroite de la lampe »*, des *« yeux se perdant dans les yeux amis »*, regret d'une époque plus ancienne encore, qui remonte jusqu'à son enfance, et qui est marquée par l'ombre de la mort. Les *Romances sans Paroles* chantent beaucoup plus la nostalgie des « jours anciens » que la joie du départ et des grandes enjambées à travers la plaine belge « en compagnie illustre et fraternelle ».

Ces *Ariettes,* dont on attribue certaines au « cycle de Mathilde », d'autres au « cycle de Rimbaud », sont en fait moins nettement délimitées et expriment des sentiments plus complexes. A travers tous les vers, même les plus « indifférents », comme ceux de « François-les-bas-bleus », on sent circuler une vibration, un tremblement, une émotion indicible faite d'espoir, de regret, de souhait, de crainte, de désir, de désespoir, qui complique singulièrement leur déchiffrement et les rend plus énigmatiques qu'elles ne le paraissent. En les composant, Verlaine est à la veille du départ, qu'il sent imminent, qu'il désire et appréhende à la fois. Il hésite entre les vertiges du passé, les incertitudes du présent et les mirages de l'avenir. Il se sent éperdu. Cette confusion se reflète nettement dans ces poèmes et ajoute encore à leur charme mystérieux.

Dans cette série, Verlaine semble avoir disposé les poèmes d'après un ordre chronologique — qui n'implique pas nécessairement l'ordre de composition des pièces dans le temps, mais simplement celui de l'évocation des sentiments qui les ont engendrées. La première *Ariette* rappelle les instants les plus chers à son cœur, ceux qu'il avait déjà évoqués à l'avance, en imagination, dans les pièces XIV et XIX de *La Bonne Chanson*. En effet, la *« fatigue charmante »* et *« l'attente adorée »* de *« l'ombre nuptiale et de la douce nuit »*, ne rappellent-ils pas étrangement (bien que moins poétiquement) *« l'extase langoureuse »* et la *« fatigue amoureuse »*, *« les frissons des bois »* et *« l'étreinte des brises »* ? Fidèle à lui-même, incapable de se situer dans le présent, Verlaine se réfugie ici dans un passé récent, tendre et sans amertume, à peine voilé de mélancolie dans la dernière strophe : *« Cette âme qui se lamente / En cette plainte dormante / C'est la nôtre, n'est-ce pas ... »*

Comment a-t-on cru distinguer dans ce poème les voix — même transfigurées par l'art — de Rimbaud et de Verlaine dans leurs *« amours tigresques »* pendant leur *« nuits d'Hercules »* ? Ce *« chœur des petites voix »*, ce *« frêle et frais murmure »* qui *« gazouille et susurre »*, ce *« cri doux / Que l'herbe agitée expire »* peuvent-ils être, sans une véritable hérésie, ceux des deux *« compagnons d'enfer »* ? Incontestablement ce sont les modulations d'une voix féminine dans l'ivresse de l'étreinte, celle de Mathilde sans doute décrite pudiquement dans le poème III de *La Bonne Chanson* comme de la *« musique fine »* et dans une pièce de *Parallèlement*, *« A Madame *** »* : *« Et sa voix fine résonne / Non sans des agréments très bien »*.

Se mêle-t-il dans ce « *chœur des* petites voix » d'autres accents plus chastes, plus mystérieux, venant d'un passé plus lointain que Mathilde, d'un passé mort à jamais, mais couvant toujours sous la cendre du souvenir ? Sans rien insinuer d'injurieux pour la mémoire de la cousine de Verlaine, Élisa Moncomble, tendrement et chastement aimée — car le poème ne doit pas nécessairement être interprété érotiquement — des accents d'outre-tombe se mêlent-ils dans ce « *chœur* » qui, dans la deuxième *Ariette,* comprendra « *toutes les lyres* » ? La « *voix d'or vivant* », la « *voix douce et sonore au frais timbre angélique* » de *Nevermore*, la voix, « *lointaine, et calme, et grave* » qui a « *l'inflexion des voix chères qui se sont tues* », de *Mon Rêve familier* — où J.-H. Bornecque a reconnu la voix d'Elisa (16) — se fait-elle entendre de nouveau, voilée par le temps comme à travers un rêve ? Il se peut bien. Car Verlaine, dès qu'un obstacle s'élève sur sa route, dès qu'une contrariété l'empêche d'atteindre le bonheur, se retranche dans le passé, se réfugie par la pensée auprès de ceux qui le protégeaient enfant, et revoit à travers ses paupières mi-closes des images des « *jours anciens* ».

Ce qui incite davantage à le croire c'est cette espèce de teinte religieuse, de note quasi mystique qui se dégage de la dernière strophe, amenée par « *l'humble antienne* ». De toute façon, quelles que soient ces « *voix* », elles sont essentiellement féminines et Rimbaud est complètement absent du poème.

Il en est de même de la seconde *Ariette* (intitulée d'abord « *l'escarpolette* ») (17), où l'on a cru aussi voir à tort les amours transposées au féminin des deux « *compagnons d'enfer* ». (18) Relié au poème précédent par le mot « *voix* », le « *contour subtil des voix anciennes* » rejoint le « *chœur des petites voix* ». Les « *jeunes et vieilles heures* » ne sont pas une opposition entre Rimbaud et Mathilde, comme on l'a dit, l' « *escarpolette* » ne se balance pas entre l'ami et l'épouse, mais entre le passé récent, Mathilde, et le passé lointain, Élisa. L'épithète « *subtil* », dans le sens ancien d'aigu, de pénétrant, appliqué au « *contour des voix anciennes* », — (et déjà employé dans *A Clymène (Fêtes Galantes),* poème qui évoque sans erreur possible et sous le voile du

---

(16) Voir ses excellentes éditions des « *Poèmes saturniens* » de Paul Verlaine (Paris, Nizet, 1952, nouv. éd. 1967), et *Lumières sur les « Fêtes Galantes »* (Paris, Nizet, 1959, nouv. éd. 1969), et les pénétrantes interprétations qu'elles contiennent. Bornecque est le premier qui ait décelé la présence d'Élisa, comme intercesseur vital, dans ces deux recueils.

(17) Dans la première édition et sur le manuscrit du poème envoyé à Émile Blémont dans la lettre du 22 septembre 1872. (*Corr.,* t. I, p. 295).

(18) C'est l'opinion surtout d'Antoine Adam : « C'est le balancement de Verlaine entre l'amour légitime et l'amour maudit ... » (*Op. cit.,* p. 93 ; voir aussi pp. 95-96). Jacques Robichez a une interprétation plus nuancée : « Ainsi les « voix anciennes » évoqueraient Mathilde et l' « Aurore future » Rimbaud. N'est-ce pas trop préciser ? On situerait peut-être le mieux le poème à un niveau inférieur de conscience, suggéré par les délires du vers 5 et le « jour trouble » du vers 7. Tout le passé de Verlaine, toutes ses espérances et toutes ses apprehensions, estompées, déformées fantastiquement, se mêlent en lui dans une confusion douloureuse. » (*Op. cit.,* p. 582).

symbole la cousine Élisa, comme nous l'avons démontré ailleurs) (19) — ne peut en aucune façon s'appliquer à Rimbaud. L'épithète « *anciennes* » ne s'expliquerait également pas, car Rimbaud est l'avenir et non point le passé. Et cette « *mort seulette* », n'est-elle pas celle d'Élisa, morte pendant l'absence de son cousin ? Et même le « *cher amour qui t'épeures* », n'est-il pas l'évocation de la crainte du qu'en dira-t-on qu'avait montré la jeune femme lors de sa visites de Verlaine à Lécluse ?

Deux visages féminins qui se mêlent dans son « *cœur en délires* », voilà le secret de « *l'escarpolette* ». L'image chérie d'Élisa, qui avait complètement disparu de *La Bonne Chanson* sous l'influence heureuse des fiançailles, reparaît ici par suite des ennuis matrimoniaux et de l'incompréhension de Mathilde. D'où la profonde nostalgie qui se dégage du poème. (20)

Rappelons aussi la dédicace grecque qui figurait sur le manuscrit de la pièce : « πειθώμεθα νυκτὶ μελαίνῃ » (laissons-nous persuader par la nuit obscure), utilisée (dans sa traduction française) dans *En sourdine (F. G.)*,(poème qui se rattache également au cycle d'Élisa) (21) et qui reparaîtra dans *Cellulairement* en tête des quatre pièces qui forment *Mon Almanach pour 1874*. S'il est vrai, comme l'a habilement démontré Antoine Fongaro, (22) que le mot de « Madame » du deuxième sonnet « *Été* » (*L'espoir luit comme un brun de paille dans l'étable...*), désigne Elisa, il y a de grandes chances pour que, à chaque fois que Verlaine utilise cette citation grecque et cette allusion à la nuit obscure (du tombeau ?), sa pensée se reporte à sa cousine.

Enfin il est intéressant de noter qu'habituellement lorsque Verlaine a recours aux synesthésies et aux images très hermétiques, c'est

---

(19) « *La tradition des « Fêtes Galantes » et le lyrisme verlainien* », *Aquila, Chestnut Hill Studies in Modern Languages and Literatures*, vol. I, 1969, pp. 213-246. En voici quelques lignes : « *Élisa, ou le rêve d'Élisa, ou l'éternel féminin représenté par elle* [...] *s'identifie dans son imagination avec toutes ses aspirations amoureuses et prend la forme de toutes ses Sylphides de rêve* [...] *Placé sous le signe bivalent d'Élisa et non plus sous le patronage de Baudelaire (par suite des « correspondances »), il devient parfaitement clair. Chaque mot s'adapte à la pauvre cousine disparue, même les deux premiers vers, les* « mystiques barcarolles » *et les* « romances sans paroles », *par lesquels le poète voudrait chanter la bien-aimée sans la nommer. Voici ses yeux* « couleur des cieux » *(elle avait les yeux bleus) qui continuent à le regarder en rêve, et sa voix qu'il entend toujours et qui* « dérange / Et trouble l'horizon / De [sa] raison » *(elle chantait en effet agréablement), et son* « parfum » *et sa* « pâleur » *et* « tout son être » *dont il garde le souvenir vivace et pénétrant. Pauvre* « ange défunt » *qui le hante toujours et qu'il* « nimbe » *de toutes les couronnes de rêve, de grâce et d'amour ! Ces correspondances ne sont pas là un jeu subtil de l'esprit, mais une réalité vivante – à peine brouillée – ou plutôt destinée à brouiller l'esprit du lecteur. Élisa étant morte, Verlaine constate que son cœur et sa raison sont investis par elle, d'où les multiples synesthésies. Ainsi s'explique aussi le mysticisme du premier et du dernier vers.* »
(20) Est-ce le sens qu'il faut prêter aux lignes d'Octave Nadal : « *Les voix qui semblaient éteintes reprennent contour et visage ; dans le cœur et l'âme, espèce d'œil double, elles se remettent à chanter.* » (*Op. cit.*, p. 51).
(21) Voir J.-H. Bornecque, *Lumières sur les « Fêtes Galantes »*, op. cit., pp. 77 sq.
(22) « *L'espoir luit ...* », n° spécial, « *Autour du Symbolisme* », *La Revue des Sciences Humaines*, 1955, pp. 227-256.

dans le but de cacher des sentiments qu'il ne veut pas révéler au public, et plus précisément ceux qui sont relatifs à sa cousine. Il ne faut donc pas voir dans son hermétisme occasionnel un jeu gratuit, dû à l'influence de Rimbaud ou à l'usage excessif des correspondances baudelairiennes, mais une poésie-masque destinée à soustraire ses secrets aux curiosités indiscrètes et à dérouter le lecteur. Poésie savante aussi, pratiquée avec une grande lucidité et une science consommée, et non confusion d'un esprit fumeux adonné aux rêves et à l'alcool.

Parfois sans être le moins du monde hermétique, Verlaine a recours à certaines allégations mensongères qui lui servent au même but, comme dans la troisième *Ariette oubliée* ; quand il affirme que son « *deuil* » est « *sans raison* », et qu'il pleure « *sans amour et sans haine* », c'est simplement pour cacher l'identité de la personne qui est à l'origine de cette mélancolie, de ce « *deuil* ». S'il s'agissait là encore, comme dans la pièce précédente, de Mathilde, le poème serait incompréhensible, et même pure duplicité. On s'imagine mal Verlaine indifférent à « l'abandon » de Mathilde, alors qu'il ne fait, dans toutes ses lettres d'alors, que clamer sa détresse et récriminer contre sa femme. D'ailleurs il est loin de la ménager dans son recueil et ne lui épargne pas les reproches. Dans la VIIe *Ariette* il l'appelle « cette femme », et dans *Child Wilfe* il l'insulte carrément. *Birds in the Night* est un éreintement copieux. Du reste, quand il « s'adresse » à sa femme il lui dit toujours « vous », alors que dans les *Ariettes*, le tutoiement se rapporte à Élisa *(la tienne, dis... ; cher amour qui t'épeures...)* dont l'image engendre en lui une douceur infinie, qui contraste nettement avec l'amertume de *Child Wife* et de *Birds in the Night*. De toute manière, dans cette troisième *Ariette*, inspirée ou non par Mathilde, il faut chercher l'origine de la mélancolie dans la tentative de rupture avec le passé, dans le « *triste exil* » qu'il refuse de croire définitif.

C'est aussi le sens de la VIIe *Ariette* qui appartient exclusivement à Mathilde :

> Je ne me suis pas consolé
> Bien que mon cœur s'en soit allé,
>
> Bien que mon cœur, bien que mon âme
> Eussent fui loin de cette femme.

Comme un élève qui fait l'école buissonnière, il croit que la fuite est suffisante pour anéantir le passé, alors qu'il le traînera partout et toujours après lui, sans jamais pouvoir, sans jamais vouloir s'en libérer.

Dans ce cycle féminin bivalent, où l'image d'Élisa se dessine en filigrane sous celle de Mathilde, il faut inclure la huitième et la neuvième *Ariettes*, qui sont des paysages-états d'âme. La mélancolie y est encore plus accentuée et les idées funèbres plus apparentes. Le verbe *mourir* y est répété trois fois — et plus d'une douzaine de fois dans le recueil. La première des deux pièces, la plus ancienne des *Romances sans Paroles*, composée fin décembre 1871, lors d'un voyage de Verlaine à Paliseul, rappelle, sans sa stylisation, le morne décor de « *Colloque sentimental* » dans lequel deux êtres aimants s'entre-déchirent par delà la tombe : Verlaine et l'ombre d'Élisa, Verlaine et le fantôme de son amour, le passé mort et le présent éperdu.

La seconde, qui a le même cadre mais automnal, se déroule, non pas comme on a voulu le croire, à Londres au bord d'une Tamise qu'il connaît pas encore, mais au bord de la Scarpe ou de la Sensée, paysage qui lui est familier depuis l'enfance. Ce qui éclaire le sens du second quatrain :

> Combien, ô voyageur, ce paysage blême
>> Te mira blême toi-même,
> Et que triste pleuraient dans les hautes feuillées
>> Tes espérences noyées !

Paysage de Flandre, décrit déjà dans les *Poèmes Saturniens* avec des accents plus funèbres, cadre de sa première déception et de son premier déchirement, où il *« errait tout seul, promenant [sa] plaie »*, et entendant se lever de *« l'eau des Regrets » « la voix célébrant l'Absente »*, cet *« oiseau qui fut* [son] *premier Amour/Et qui chante encore comme au premier jour »*.

Il en est de même de l'*Ariette* V qui, de l'avis de tous les commentateurs, appartient exclusivement au « cycle » de Mathilde par son inspiration et par son décor. Il est permis d'en douter quelque peu. Le cadre est probablement celui de la demeure des Mauté de Fleurville à Paris, où la maîtresse de maison, qui avait été l'élève de Chopin, jouait au piano. Mais il pourrait tout aussi bien être la maison de Madame Dujardin (Élisa) à Lécluse, décrite dans *« Après trois ans »* (*P.S.*). Les mêmes éléments décoratifs apparaissent ici, mais transposés et pour ainsi dire transcendés par le rêve. C'est le même *« petit jardin »*, la même atmosphère *« frêle »*, le même tremblement craintif et la même hésitation *épeurée*... ; et ce *« berceau soudain »* qui *« lentement dorlote mon pauvre être »*, n'évoque-t-il pas le retour à l'enfance du temps qu'il vivait heureux en famille ? Et cet *« air bien vieux, bien faible et bien charmant »*, ce *« fin refrain incertain »* qui va *« mourir vers la fenêtre / Ouverte un peu sur le petit jardin »*, n'est-il pas aussi un de ces refrains que la cousine Élisa avait l'habitude de chanter de sa voix *« douce »*, *« au frais timbre angélique »* ? Il faut relire les deux poèmes à la suite, *Après trois ans* et la cinquième *Ariette*, pour sentir à quel point, malgré la différence du décor, la tonalité est la même, menue, fragile, plaintive et tendre à la fois et ramène Verlaine vers son passé mort. Ce poème qui semble nettement détaché de *La Bonne Chanson*, est en réalité, par delà *La Bonne Chanson*, plus proche de *Mélancholia* et de certaines *Fêtes Galantes*.

Les deux *Ariettes* restantes, la quatrième et la sixième, sont-elles les seules qui ne présenteraient pas de problème et qui n'appartiendraient pas au cycle féminin, l'une étant une « vieille chanson populaire », l'autre la transposition des relations Verlaine-Rimbaud ? En ce qui concerne la seconde, *« Il faut, voyez-vous, nous pardonner les choses... »*, les commentateurs en tout cas sont loin d'être d'accord. Pour Antoine Adam comme pour Jacques Borel, et d'autres, il s'agit *« clairement »* du poète et de sa femme, de la reprise de leurs relations

normales. Or s'il en était ainsi on ne voit pas ce que Verlaine deman-
derait à la société de « leur » pardonner ? Et en cas de pardon, pourquoi
seront-ils « bien heureux », ou bien alors ils seraient deux « pleureuses » ?
« *Ames sœurs que nous sommes* », celles de Mathilde et de Verlaine ?
âmes tellement dissemblables plutôt ! Et pourquoi le poète en ferait-il
un mystère s'il s'agissait de lui et de sa femme ?

Pour tous les autres commentateurs, Martino, Le Dantec, Robichez..., il s'agit plutôt d'une évocation déguisée de la *« vierge folle »*
et de *« l'époux infernal »*, d'un adroit camouflage de leurs relations
homosexuelles. Un point militerait en faveur de cette explication,
c'est le mot *« choses »* du premier vers *(Il faut, voyez-vous, nous
pardonner les choses...)*, d'une neutralité voulue, qui sera employé
dans un poème de *Jadis et Naguère*, *« Le poète et la Muse »* dont la
signification ne donne lieu à aucune ambiguïté *(« Vous ne comprenez
rien aux choses, bonnes gens... »)*. Or le mot *« choses »*, au pluriel
ou au singulier, a été plus d'une fois utilisé par Verlaine dans sa poésie
et ne semble pas une preuve irréfutable des relations homosexuelles (23),
mais de toutes amours (ou *choses* quelconques) irrégulières (même
purement sentimentales). D'ailleurs une difficulté demeurerait insolu-
ble : pourquoi Verlaine, si soucieux de l'architecture de ses recueils,
aurait-il inséré ce poème, qui appartiendrait au cycle de Rimbaud,
au milieu d'une série essentiellement féminine ? Le fait qu'il ait pris
soin de le « féminiser » suffit-il pour justifier cette insertion, ou y-
a-t-il un secret qui échappe à la sagacité des commentateurs ? Nous
savons par contre que chaque fois que Verlaine est hermétique c'est
qu'il veut cacher des sentiments ou un fait qu'il ne veut ou ne peut
révéler pour des raisons de convenances sociales, ou familiales, ou
morales, ou tout autres. Y a-t-il là aussi la même image féminine soigneusement dissimilée sous l'ambiguïté des mots et c'est Verlaine seul
qui se serait « féminisé » ? (24) Peut-être ! Mais on ne saurait, on
n'oserait l'affirmer catégoriquement.

La même question se pose pour l'*Ariette* VI, qui devait faire partie
d'une section intitulée *« Nuit falote »*, laquelle ne vit jamais le jour,
« un XVIIIème siècle populaire », explique Verlaine (25). Cette sorte
de *Fête Galante* vulgaire et roturière, qui se déroule dans la rue et non
plus dans un parc ou sous des lambris dorés, n'en est pas moins éva-
dée dans un monde imaginaire, un monde féérique qui vient couper
par une note gaie la monotone mélancolie des *Ariettes*, un monde
révolu qui replonge le poète dans un passé pour lui toujours vivant

---

(23) Voir par exemple, *Sagesse*, III, I : *Désormais le Sage, puni/Pour avoir trop
aimé les choses...*
(24) Du reste, Verlaine dira un jour à F.-A. Cazals : « Je suis un féminin, — ce qui
expliquerait bien des choses ! ! » *(Lettres inédites de Verlaine à Cazals*, éditées par
Georges Zayed, Genève, Droz, 1957, pp. 174). Ceci explique en effet son attitude
envers Mathilde : *« Par toi conduit, ô main où tremblera ma main « (La B.C.,
IV)*, et envers Rimbaud : *« Le « petit garçon » accepte la juste fessée [...], aime-moi,
protège et donne confiance. Étant très faible, j'ai très besoin de bontés. » (Oeuvres
complètes de Rimbaud*, p. p. Antoine Adam, Paris, Gallimard, 1972 (Bibl. de la
Pléiade), p. 262).
(25) *Corr.*, t. I, p. 84.

et cher à son cœur, ce monde spécialement évoqué dans les *Fêtes Galantes* pour loger son rêve d'amour impossible.

Ainsi dans leur ensemble, les « *Ariettes oubliées* » apparaissent comme un regard nostalgique jeté sur le passé, comme une vieille blessure qui s'ouvre à l'occasion d'une plus récente. C'est là le sens général et le secret de cette mystérieuse section qui contient tant de points d'interrogation et dont certaines pièces semblaient inexplicables.

*
* *

Les autres sections des *Romances sans Paroles* ne présentent pas de problèmes sérieux. La seconde, les *Paysages belges,* nettement placée sous le signe de Rimbaud, raconte la fuite de Verlaine en sa compagnie et la tentative d'affranchissement des cinq sens. Elle est comme le journal de route d'un poète fugitif, en marge de la société et de la morale traditionnelle. Si les *Ariettes oubliées* se penchent toutes sur le passé, les *Paysages belges,* eux, lui tournent carrément le dos, vivent dans le présent ou tendent vers l'avenir. Ils chantent, en général, la joie du départ, l'ivresse de la liberté, la fraîcheur de la route et la griserie de nouvelles sensations. C'est à eux que s'applique avec le plus d'exactitude le dernier précepte de l'*Art poétique* : « *Que ton vers soit la chose envolée... ; Que ton vers soit la bonne aventure...* »

A cette seconde section, s'oppose la troisième : *Birds in the Night,* — dont se détache, sans qu'on en voie au premier regard la raison, la quatrième *Aquarelle, Child Wife.* Avec *Birds in the Night* on est en plein « cycle de Mathilde ». Poème irritant et bouleversant à la fois : la rancune, la colère, la haine qui le caractérisent contrastent nettement avec la douceur, la mélancolie, la tendresse qui émanent des *Ariettes oubliées.* C'est l'épisode de Bruxelle du 21 juillet 1871 qui est amèrement rappelé : le voyage de Mathilde en Belgique dans l'espoir de ramener son mari et de sauver son ménage, l'émouvante rencontre amoureuse à l'hôtel Liégeois, le lamentable échec de cette tentative et l'inique attitude de Verlaine.

*
* *

Enfin, le dernier cycle, *Aquarelles,* cycle essentiellement et exclusivement féminin, qui fait toujours partie du « cycle de Mathilde », est, comme les *Paysages Belges,* tourné vers l'avenir. *Green* est un rêve, réalisé en imagination, d'une tentative de réconciliation avec Mathilde — le « vert » n'est-il pas la couleur de l'espérance ! (26) *Spleen* (qui ne doit rien à Baudelaire malgré le titre), dit les craintes

---

(26) Dans les notes de son édition des *Romances sans paroles* (p. 96), V.P. Underwood affirme que le sens symbolique de *Green* « *échappe à un lecteur anglais moderne* », et ajoute qu'il pourrait provenir d'une phrase de Shakespeare : « *Green indeed is the colour of lovers* » *(Love's labor's lost).* Ne provient-il pas plutôt du premier vers du poème dont il reflète la couleur ?

du poète de perdre sa femme par suite du procès de séparation en cours et des ... assiduités (?) d'un ami auprès d'elle (c'est Verlaine qui l'a prétendu) ; ce qui explique ses « *désespoirs* » qui « *renaissent* » et « *cette fuite atroce de vous* ». Précisons qu'il s'agit bien de Mathilde dans ce poème, et non de Rimbaud comme on l'a prétendu, de sa femme toujours aimée « *hélas* », auprès de laquelle il cherche, comme dans *Green*, le bonheur espéré et perdu. Le poème d'ailleurs a la même forme alternée que la pièce V de *La Bonne Chanson*. *Streets I* (*Dansons la gigue...*), sous ses allures détachées et désinvoltes, exprime avec autant de netteté son désir de rapprochement avec Mathilde, mais aussi la mélancolie des souvenirs des premiers temps du mariage. Même *Streets II*, apparemment objectif et impersonnel, se rapporte encore à sa femme par la reprise du mot « *morte* »

> ... l'eau jaune comme une morte
> Dévale ample et sans nuls espoirs
> De rien refléter que la brume...

(les mots « *morts* », « *morte* », « *mourir* »... et leurs synonymes sont des mots-clefs des *Romances sans Paroles*, où ils sont répétés tant de fois). Thème du souvenir par l'image de la rivière « *qui roule sans un murmure* », et de l'eau « *jaune comme une morte* » qui ne reflète que la « *brume* ». On comprend mieux maintenant que *Child Wife* ait été placé avec les *Aquarelles*, au milieu des *Aquarelles* : c'est que toutes ces pièces se rapportent de près ou de loin à Mathilde.

C'est elle aussi que Verlaine chante dans sa « valentine », *A Poor young shepherd*, sous le pseudonyme de Kate (qui n'est pas une jeune Anglaise qu'il aurait aimé, comme le suggère Underwood) (27) ; et aussi dans *Beams* à travers le bateau symbolique (remarquons que « bateau » [ship] est féminin en anglais ; c'est bien l'image de Mathilde qui se profile sous cette « *Comtesse-de-Flandre* », que Verlaine, par un lapsus significatif, a écrit « *Princesse* » dans la première édition, titre qu'il donnait à sa femme dans ses lettres). Comme Baudelaire, dans *Le Beau Navire*, le bateau ici personnifie la femme aimée, et les rayons (« Beams ») d'espérance, que le titre sous-entend, indiquent dans quel sens il faut les interpréter. Il est pour le moins étrange qu'on ait pu voir dans ce poème le « travestissement de Rimbaud », ou encore l'apparition d'une jeune femme blonde que nos deux poètes auraient rencontrée dans leur voyage et qui « *marchait* » (! ?) sur les flots (comme le Christ sur le lac de Tibériade), entourée de mouettes !...

*
* *

(27) Underwood pense que le nom de Kate appartient réellement à une jeune fille anglaise que Verlaine aurait eu un moment l'intention d'épouser et chez qui il aurait mangé de l'oie à Noël 1872. (*Verlaine et l'Angleterre*, Paris, Nizet, 1956, p. 106). C'est là une supposition gratuite.

Pour conclure, les *Romances sans Paroles,* qu'on peut croire inspirées par Rimbaud, du moins par sa présence, sont un recueil essentiellement féminin d'inspiration, où apparaissent les deux femmes que
Verlaine a aimées dans sa vie, l'une, Mathilde, au premier plan, en
pleine lumière, l'autre, Élisa, à l'arrière plan, dans les ténèbres du
subconscient et de la mort, qui la dérobent aux regards indiscrets.
Dans les moments de découragement, la mélancolie du poète semble
ramener à la surface, par contraste avec Mathilde, l'image de sa cousine
disparue, et avec elle des sentiments enfouis dans les profondeurs
de sa conscience.

Quelle part revient dans ce recueil à l'auteur du *Bateau Ivre* ?
Peu de chose en somme en ce qui concerne sa présense réelle : deux
ou trois allusions discrètes qui passeraient inaperçues aux regards
du lecteur non averti : *« Oh ! que notre amour n'est-il là niché ! »,*
« Quelles aubaines, / Bons juifs errants ! »... Le « cycle rimbaldien »
est somme toute bien mince. Mais l'influence du jeune homme est
ailleurs, littéraire ou théorique, sociale et morale. Rimbaud a joué
le rôle de catalyseur, bien plus que d'inspirateur. Il a revivifié la sève
poétique de Verlaine qui commençait à tarir après *La Bonne Chanson,*
mais n'a pas inspiré les poèmes des *Romances sans Paroles.* Même au
point de vue purement poétique, il l'a poussé plutôt dans le sens de sa
propre originalité et de son propre génie en le libérant des dernières
attaches qui le reliaient au Parnasse. Tout s'est passé, en somme, comme
si les deux poètes pendant les deux années de vie en commun sont
allés chacun de son côté en ce qui concerne l'inspiration et l'originalité
poétiques. Verlaine devait pratiquement aboutir à l'*Art Poétique,*
dont les postulats principaux viennent surtout d'Edgar Poe.

Comme intercesseur vital, Rimbaud a complètement échoué ;
Verlaine lui doit surtout d'avoir gâché sa vie. L'aventure rimbaldienne
s'est soldée pour lui par une faillite et une catastrophe : les coups de
feu de Bruxelles, la prison, l'exil, le divorce... Sur le plan moral et
métaphysique, l'échec n'est pas moins complet. Celui que Rimbaud
voulait libérer et rendre à son *« état primitif de fils du Soleil »,* était,
malgré les apparences, un bourgeois conformiste et veule, un *« pi-
toyable frère »,* un « pantouflard », incapable de se rebeller contre
la norme, et de suivre son ami dans sa tentative démiurgique de *« recréer le monde par la puissance du verbe ».* Il charge d'impuretés une
expérience spirituelle qui dépasse son entendement. Il y voit surtout
une invitation au dévergondage.

Dans le silence et la solitude de la prison, Verlaine fera son examen
de conscience, renoncera à poursuivre des « chimères » et luttera désespérément contre l'influence néfaste de son ami. *Sagesse,* les « Récits
diaboliques », qui se terminent tous par la défaite de Satan-Rimbaud
et le triomphe de Dieu, clament ses efforts désespérés pour repousser
la tentation de la révolte et l'expérience prométhéenne du jeune homme, et montrent le sens que prendra désormais son œuvre.

Regretteur éternel du passé, enlisé dans ses souvenirs, Verlaine
essaiera toute sa vie de recréer des rêves, de donner vie à des chimères,
de ressusciter des morts. Inconsolable d'avoir perdu sa cousine Élisa,
il tentera de la faire revivre dans tout un recueil, les *Fêtes Galantes,*

sous la forme d'un fantôme du temps passé. Séparé de sa femme, il cherchera pendant des années un rapprochement impossible, et chantera inutilement le « tendre bonheur d'une paix sans victoire ». C'est ce regret et cette nostalgie d'un passé toujours vivace qui donnent aux *Romances sans Paroles* et en particulier aux *Ariettes oubliées* leur ambiance mystérieuse et mélancolique, et ce charme prenant qui leur est propre. La meilleurs épigraphe qu'on pourrait leur mettre ce sont trois vers de « *Recueillement* » de Baudelaire :

> ... Vois se pencher les défuntes Années,
> Sur les balcons du ciel en robes surannées ;
> Surgir du fond des eaux le Regret souriant.

Georges Zayed

SUR L'IMPRESSIONNISME DE VERLAINE

Qui parle dans les premières « Ariettes » ? De quel lieu ? A qui ? De quoi ? A trop vouloir décrypter ces poèmes, les commentateurs ne sont-ils pas allés à contre-courant de la lecture qu'ils appellent ? Dans la première, l'énonciation glisse d'une suite d'approximations simplement juxtaposées à des interrogations sans réponse. L'intérieur et l'extérieur se fondent en un état d'âme étale où le moi ne se distingue plus du monde, où les oiseaux ne sont que « voix », dans l'intemporalité de la succession des « c'est ». Les images échappent à tout système de référence autre que celui d'une expérience d'engourdissement, en quelque sorte, de la conscience. « Extase langoureuse », « fatigue amoureuse » ne renvoient pas plus à un souvenir précis que « frisson des bois » ou « herbe agitée » ; un climat seulement s'élabore dont la formulation écarte tout système dénotatif : à l'instar du vent de l'épigraphe, le poème « suspend son haleine ». Qui, dès lors, sont les « je », le « tu » de ces vers, sinon les modalités d'une voix intérieure à peine personnalisée ? Ce serait le lieu d'utiliser une expression dont on a beaucoup abusé : « ça » parle, plutôt que quelqu'un parle.

Non moins frappantes sont les pièces suivantes. La deuxième, toute en incertitudes et en indéterminations entre le passé et le futur, la lumière et le brouillard, le singulier et le pluriel, jusqu'à la plainte qui la termine : « O mourir de cette escarpolette », avec le sentiment de malaise suscité par des vers impairs de neuf syllabes en rimes uniquement féminines — sans oublier l'épigraphe du manuscrit, qui implique une acceptation de la nuit (nuit de la conscience ?). La troisième, avec ses jeux d'allitérations et d'échos sonores qui en viennent presque à prendre le pas sur le sens des mots, poème de la vacuité, de l'absence de raison(s), degré zéro de la possession de soi.

Et ainsi de suite, même si telle ou telle « Ariette » (la cinquième dans sa première strophe, notamment) peut suggérer quelques repères biographiques. Voir dans la deuxième un balancement du poète entre Mathilde et Arthur, par exemple, c'est appliquer un schéma de type cornélien (nonobstant un anéantissement de la volonté) à ce qui est de l'ordre de la rêverie.

Comment ne pas penser à la cinquième *Rêverie*, avec son ana-lyse d'une perte progressive de la conscience de soi dans la douceur familière des rythmes naturels ambiants, d'une sorte d'apesanteur existentielle à laquelle elle mène ? Plus rien ne subsiste alors, que la sensation immédiate, hors de tout filtrage de la mémoire, de l'expérience, de la raison et de ses exigences normatives.

*
* *

Avec les « Paysages belges », le ton change d'abord. Ce n'est plus la déploration vague d'une conscience qui se défait, c'est l'allégresse des notations pittoresques, du monde qui passe, un « kaléidoscope » (comme le dira le titre d'un poème recueilli dans *Jadis et naguère*) brillant et coloré. Mais avec des procédés différents, la disposition du poète reste la même : pas d'organisation de l'intelligence, une syntaxe se réduisant dans « Walcourt » et « Charleroi » à la phrase nominale et à l'exclamation, bref, la « traduction immédiate du senti », comme le dit Rimbaud. Cependant, le vertige des « Ariettes oubliées » n'est pas entièrement dissipé. On le devine derrière le paysage brutal de « Charleroi » et dans la seule notation sentimentale de la première et la dernière strophe : « Le vent profond / *Pleure,* on veut croire ». Il apparaît encore dans le tournoiement énivrant de « Chevaux de bois » et surtout dans « Malines » où il semble conjuré dans le passage d'une chose vue à une réalité rêvée. L'essentiel n'en reste pas moins dans une irruption de la vie contemporaine, celle des gares, des usines, des fêtes foraines. Double postulation d'un monde imaginaire et d'un univers quotidien qui constitue déjà les ancrages des *Poèmes saturniens.* Il faut citer Nadal : « La vie ne parvient pas à être autre chose que du songe. Elle aussi fait du rêve. Le fil du réel et le fil du songe courent ensemble, tramés sur une même étoffe. Il n'y a plus endroit et envers ; ni alibi du rêve. La vie et le songe sont du même côté. » Et plus loin : « Seule la sensation aiguë du contact qu'entretien le rêve avec le monde ramasse dans un éclair la durée du vécu. L'acuité du réel senti, soleil, voix, larmes, permet à la conscience sans mémoire, un instant éveillée, d'éclairer le passé, ce qu'elle vit et ce qu'elle va vivre [...]. Cela est dit à propos de « Kaléidoscope », mais s'applique admirablement aux *Romances sans paroles.*

*
* *

Ambiguïté du réel qui est celle de la perception impressionniste. Rappelons la définition de Fénéon dans *Les Impressionnistes en 1886* :

> Dès le début, les peintres impressionnistes, dans ce souci de la vérité qui les faisait se borner à l'interprétation de la vie moderne directement observée et du paysage directement peint, avaient vu les objets solidaires les uns des autres, sans autonomie chromatique, participant des mœurs lumineuses de leurs voisins [...]

Sens de la vie moderne, globalité d'un regard devant lequel les choses perdent leur particularité conceptuelle, tout est dit. Déjà en 1867 dans *Manette Salomon,* les Goncourt avaient noté à propos de la

peinture : « Le moderne, tout est là. La sensation, l'intuition du contemporain, du spectacle qui vous coudoie ».

On n'oubliera pas qu'en 1872, à l'époque où il écrit les « Ariettes », Verlaine fréquente le groupe des amis d'Emile Blémont, fonda-
teur en avril de la *Renaissance littéraire et artistique* (où paraîtront les
« Ariettes » I et V), et qu'après son départ pour la Belgique et l'Angleterre il reste en relation avec cet écrivain. Dans ce milieu, on se réclame
de la vie contre l'académisme et l'artifice, de la vie moderne avec son
pittoresque neuf, mais aussi avec les troubles de l'âme, la « nervosité »,
comme disait Baudelaire, qui la caractérisent. On n'y parle pas encore
d'impressionnisme littéraire, mais c'est dans son sillage qu'apparaîtra
cette notion vers 1880.

Il n'est pas douteux que les recherches de Verlaine dans *Romances
sans paroles* soient en relation étroite avec ces orientations de la peinture et de la poésie. Elles le sont parce qu'elles procèdent d'un même
climat, qui est celui des années 70 ; mais surtout parce qu'elles répondent à des dispositions déterminantes de son être. Il suffit ici de ren-
voyer aux chapitres « Options fondamentales de la sensibilité » et
« Modalités du lien vague-aigu » de l'ouvrage de Paule Soulié-Lapeyre
Le Vague et l'aigu dans la perception verlainienne : on y trouvera une
analyse subtile des liaisons profondes entre le rêve et l'expérience
impressionniste chez Verlaine.

*
* *

Parce que l'impressionnisme n'est pas pour lui un système esthétique, mais une modalité du regard et de la conscience, Verlaine a
esquivé dans son écriture poétique les apories auxquelles se sont heurtés
les défenseurs d'un impressionnisme littéraire. Ou bien, en effet, ils
ont trouvé une solution facile dans un pittoresque de l'instantané, ou
bien ils n'ont pu échapper aux loix du langage. Dans *Dinah Samuel*,
Félicien Champsaur fait ainsi parler le « musicien impressionniste »
Rapérès, *alias* Cabaner :

> Ce qui est impossible, dit-il, c'est l'absolu. Il est impossible de parler
> en revenant continuellement sur le chemin parcouru, à savoir, de ne pas
> prononcer une seule syllabe nouvelle sans répéter toutes les syllabes prononc-
> cées auparavant. L'homme n'est pas capable d'une puissance telle. Il n'y a
> que Dieu, et je m'avance beaucoup. Il est encore impossible de faire un
> poème épique, de plusieurs milliers de vers, qui serait un chef-d'œuvre,
> parce qu'il donnerait au lecteur intéressé par l'intrigue les sensations les plus
> diverses et les plus émouvantes, et qui, cependant, ne serait écrit dans aucune
> langue connue, mais avec des assemblages habiles de voyelles et de consonnes
> sans signification. Qui sait ? Ce travail n'est pas impossible, il est seulement
> difficile, puisque voici le commencement de la chanson de la petite pluie :

    Flic, Floc,
    Floc, Flic.

Verlaine a échappé au piège de l'onomatopée, équivalent de l'impression visuelle du peintre impressionniste. Il est piquant d'observer qu'un autre personnage de *Dinah Samuel*, qui peut être considéré comme le double de l'auteur, Patrice Montclar commente ainsi un de ses poèmes, qu'il a voulu impressionniste :

> J'ai tâché de faire un tableau impressionniste. S'il est suffisamment mauvais, c'est qu'il est réussi. Vous aurez beau vous rabattre sur un système de circonstances atténuantes et dire qu'il y a des états en peinture, en gravure, et qu'une vue prise par une fenêtre de wagon ne peut en rien avoir le fini d'un paysage peint en une longue contemplation. On note un croquis en wagon, mais on ne brosse pas une toile.

La réponse, avant la lettre, de Verlaine, c'est « Walcourt » et « Malines ».

Michel Décaudin

FÊTE ET JEU VERLAINIENS
(Romances sans paroles, Sagesse)

On peut aisément déceler dans l'œuvre de Verlaine une permanence de motifs ludiques et festifs : le rêve de « fête éternelle » dans un tout premier poème, (1) le rêve de fête orientale au début de *Mélancholia*, la fête faustienne de *Nuit de Walpurgis classique*, les fêtes galantes, la fête nuptiale de *La Bonne Chanson*, les fêtes populaires de *Romances sans paroles*, la fête religieuse de *Sagesse*, les fêtes diaboliques de *Jadis et Naguère*, et bien d'autres encore, aussi bien dans l'œuvre en vers que dans l'œuvre en prose. Nous ne découvrons cependant nulle part de théorie de la fête ou de valorisation explicite de celle-ci. Ce qui est a priori manifeste, c'est la présence d'un schème général de la fête, et d'une tendance au ludisme.

Dans l'étude qui va suivre nous limiterons l'analyse de la fête et du jeu à *Romances sans paroles* et à *Sagesse* avec, cependant, d'une part, un rapide examen de l'architecture de *Fêtes galantes*, qui nous permettra de dégager une particularité de la fête verlainienne que l'on retrouve sous des formes différentes dans les autres recueils, et, d'autre part, une brève analyse des poèmes diaboliques qui correspondent à *Saison en enfer* et qui, chronologiquement, se placent entre *Romances sans paroles* et *Sagesse*.

Dans la succession des poèmes de *Fêtes galantes* nous distinguons trois phases de la fête. La première comprend les deux premiers poèmes : le poème liminaire, *Clair de lune*, suggère un conflit, une hésitation devant la fête, rendus par l'antithèse entre, d'un côté, les attributs ou les signes de la fête (masques, déguisements, chant, parc) et, d'un autre côté, la tristesse ; le second poème, *Pantomime*, garde une trace de cette hésitation. La seconde phase contient tous les autres poèmes, à l'exception des trois derniers. C'est la phase du déploiement du ludisme galant intégral, une série de modulations sur le motif de la fête galante, inspirées de Watteau, de la Commedia dell'Arte, des images d'Epinal des XVIII et XIXème siècles. La dernière phase se compose des trois derniers poèmes : *L'Amour par terre, En sourdine*, et *Colloque sentimental*. Dans le premier de ces poèmes la tristesse envahit le décor ; dans le deuxième apparaît la perspective de la fin de la fête, et, dans

---

(1) *Aspiration*.

Colloque sentimental, c'est la disparition complète de celle-ci qui n'est plus ni dans le décor, ni même dans le souvenir.

Considérons les axes spatio-temporels de cette fête galante verlainienne. Rappelons d'abord brièvement que toute fête est située dans un temps hors du temps de la quotidienneté ; ce temps de la quotidienneté est aussi appelé temps du réel, ou temps du profane, ou temps du travail ou encore temps de la raison. C'est dans la nature même de la fête temporellement limitée et délimitée, et la délimitation est souvent très précise, aussi bien dans le fête archaïque, que dans les fêtes religieuses et laïques. Le temps de la fête est un temps à côté du temps. Il y a contiguïté, mais non pas continuité, entre le temps de la fête et le temps du quotidien. Wunenburger analysant cette question à propos de la fête archaïque écrit :

> [La fête] s'impose nécessairement comme le contraire même de la vie quotidienne dominée par l'action vitale de subsistance. De sorte que la fête consistera tout naturellement en une inversion de l'ordre quotidien sur le plan synchronique et en une interruption périodique limitée dans le temps et la durée profane d'un point de vue diachronique. (2)

Or, dans la fête galante verlainienne, la fête ne s'arrête pas en accord avec un code temporel, mais est arrêtée par le surgissement du temps de la quotidienneté, par les exigences de ce temps. *Colloque sentimental* présente le temps réel comme une suite du temps de la fête et non pas comme une continuation du temps d'avant la fête ; le temps de la quotidienneté fait irruption, et cette irruption provoque la négation violente de la festivité galante.

Il en est de même pour l'espace. La nature de l'espace festif est d'être entre parenthèses ; comme le temps, il est libéré des exigences de la quotidienneté, il est isolé, masqué, ou protégé, mais l'espace de la fête galante verlainienne finit par subir les lois de l'espace réel : le vent renverse l'amour ; le froid, le silence et les avoines folles envahissent le parc. Irruption de l'espace de la quotidienneté dans l'espace de la fête. Cette irruption de l'espace et du temps réels ou quotidiens qui entraîne l'éclatement et la disparition de la fête ne se produit que parce que la fête galante verlainienne est voulue comme une fête continuelle qui envahit la totalité du temps et de l'espace du quotidien. La fête galante verlainienne ne s'arrête pas, elle meurt, et la violence de sa disparition est due à la tentative d'universalisation et d'éternalisation de la fête. Nous découvrons là un schéma qui semble être à la base de l'imaginaire verlainien.

Considérons maintenant les poèmes diaboliques que Verlaine écrit à la prison de Bruxelles entre juillet et octobre 1873, et plus particulièrement ceux qui sont, en un sens, homologues de *Saison en Enfer* dans la mesure où ils reflètent l'aventure avec Rimbaud, et le défi rimbaldien.

_____

(2) J.-J. Wunenburger : *La fête, le jeu et le sacré,* Paris, Jean-Pierre Delarge, 1977, p. 65.

L'élément constitutif, la condition nécessaire de la fête, est la transgression, et cette transgression est une transgression valorisée. Dans la fête archétypale, assimilée souvent à la fête archaïque, les deux composantes, indissolublement liées, de la transgression festive sont la négation violente des interdits et l'ouverture sur le transcendant. Wunenburger définit cette transgression comme « une technique permettant de rendre le psychisme disponible à une ludisme médiateur du sacré ». (3) Ce schéma de la transgression festive, si l'on ne prend pas en considération les cadres spatio-temporels, correspond exactement au schéma de la transgression rimbaldienne, que Verlaine transpose dans *Crimen Amoris* et *Don Juan pipé*. Pour Rimbaud « le poète se fait *voyant* par un long, immense et raisonné *dérèglement de tous les sens* » c'est-à-dire que le poète fonde la quête ontologique sur un dérèglement absolu et systématique, sur une transgression totale. Dans *Crimen Amoris*, la fête est assimilée à la transgression généralisée : c'est la fresque festive des démons, des mauvais anges :

C'est la fête aux Septs Péchés : O qu'elle est belle !
Tous les Désirs rayonnaient en feux brutaux ;
les Appétits, pages prompts que l'on harcèle,
Promenaient des vins roses dans des cristaux.

C'est de cette fête que naît la tentative de dépassement du bien et du mal. Dans *Don Juan pipé*, la fête est aussi présente. Elle apparaît, cette fois-ci, comme née de la transgression, comme « technique » de l'abolition du bien et du mal :

Satan est mort, Dieu mourra dans la fête !

A la différence de la fête galante, la fête diabolique verlainienne est tournée vers le transcendant, mais comme la fête galante, cette fête diabolique échoue, car, comme dans la fête galante, la fête imaginaire vise à envahir complètement le temps et l'espace, elle vise à la permanence et à l'universalité et elle est négation absolue du monde socialisé.

Dans *Romances sans paroles,* l'espace poétique n'est pas construit à partir d'un espace légendaire ou mythique, comme c'est le cas dans *Nuit de Walpurgis classique*, dans *Fêtes galantes*, dans les « poèmes diabolique », mais sur un espace réel et contemporain. La poésie de *Romances sans paroles* est une poésie du départ, du voyage, mais du voyage illimité, total, du dépaysement voulu comme une rupture avec la quotidienneté. C'est par là que *Romances sans paroles* relève de la fête qui est précisément fondée sur cette rupture. Il est caractéristique que Caillois ait vu dans les « vacances » l'activité moderne qui remplace la fête archaïque, ou plutôt qui lui succède. (4) Nous verrons donc dans *Romances sans paroles* une poésie du voyage festif. La rupture avec le quotidien ne se fait pas par un recours de l'imagination aux lieux qu'un grand éloignement idéalise, ou oppose aux

---

(3) Ibid., p. 70.
(4) R. Caillois : *L'homme et le sacré*, Paris, Gallimard, 1950, p. 167.

lieux communs, ni par un appel aux lieux de la légende ou du mythe, mais par l'évocation d'un déplacement spatial systématique et continu. C'est la volonté de dépaysement qui est en premier lieu sensible. Les titres des poèmes de *Paysages belges* et d'*Aquarelles* indiquent un espace étranger, et ce caractère est souvent renforcé par les indications en fin de poème (Soho, Bruxelles, Londres, Paddington, Champ de foire de Saint-Gilles). Le voyage et l'exil volontaire, implicites dans plusieurs poèmes, sont au cœur même de la quatrième ariette :

> De cheminer loin des femmes et des hommes,
> Dans le frais oubli de ce qui nous exile !

de la septième ariette :

> Ce fier exil, ce triste exil ?

et aussi dans le troisième douzain de *Birds in the Night*. De plus, la quasi-totalité des lieux de *Paysages belges* et d'*Aquarelles* sont soit des lieux du ludisme, soit des lieux de la fête, l'estaminet, la guinguette, le château, le boudoir, les gares, le train, les wagons, le bateau. Remarquons cependant que, dans *Ariettes oubliées,* nous rencontrons tantôt une tonalité en accord avec le déploiement festif et tantôt une tonalité qui le contredit. Cette section du recueil est d'ailleurs prise entre deux pièces antithétiques. Dans la première ariette, le paysage est métamorphosé par une abondance d'éléments festifs ou ludiques : le chœur des petites voix, l'extase, la fatigue amoureuse, la joie des bruits de la nature, et, dans ce paysage, le couple des « âmes »

> Dont s'exhale l'humble antienne

La coloration et l'animation festives sont données par le paysage et aimantent tout le poème. Cette fête est d'autant plus importante qu'elle se trouve tout au début des *Ariettes oubliées.* La dernière ariette a une tonalité opposée : mort, blêmissement, solitude. Nous avons là, non seulement les deux faces des ariettes verlainiennes, mais aussi les deux pôles de *Romances sans paroles* : d'un côté, le couple et la fête, de l'autre, la solitude et le désespoir. Comme dans *Fêtes galantes* et « les poèmes diaboliques », la fête absolue, la permanence et l'universalité de la fête sont impliquées, mais la plénitude festive, l'extase, ne peut être atteinte que par le couple des amants, d'où la tension qui surgit avec la solitude.

Si, dans *Romances sans paroles,* nous avons une démarche générale de caractère festif, nous avons aussi et plus nettement, semble-t-il, le développement d'un ludisme. Avant d'aborder ce ludisme, rappelons pour mémoire la classification des jeux élaborée par Caillois et reprise depuis par plusieurs analystes ; cette classification est pratique pour aborder le jeu verlainien. Caillois distingue quatre formes d'activités ludiques : la compétition ou agôn, la chance ou aléa, le simulacre qu'il nomme mimicry et enfin le vertige ou ilinx. (5) Dans *Romances*

---

(5) R. Caillois : *Les jeux et les hommes,* Paris, Gallimard, 1958, p. 25-29.

sans paroles, trois jeux sont nommés : l'escarpolette, la gigue et les chevaux de bois ; ces trois activités se classent nettement dans le quatrième groupe de Caillois, à savoir celui des jeux fondés sur la recherche du vertige et qui consistent, selon lui, « en une tentative de détruire pour un instant la stabilité de la perception et d'infliger à la conscience lucide une sorte de panique voluptueuse ». (6) Cette recherche du vertige, du bercement, du balancement qui définit l'ilinx, se trouve à plusieurs niveaux dans *Romances sans paroles.* Au niveau métrique d'abord : dans les vers courts, de quatre et cinq syllabes, la quasi-impossibilité d'introduire une césure ou un rythme syntaxique indépendant du rythme métrique impose un mouvement rapide, régulier, de va-et-vient ; l'on sait que Marceline Desbordes-Valmore a fait du pentasyllabe le vers de la berceuse. Ces remarques sur les vers tétrasyllabiques et pentasyllabiques peuvent être étendues à l'hexasyllabe de la troisième ariette. Plus d'un quart des poèmes de *Romances sans paroles* ont recours à ce genre de mètres. Le taratantara est lui aussi, par excellence et par nature, un mètre du balancement, et il est présent dans la quasi-totalité des 84 vers de *Birds in the Night.* Le mouvement du taratantara est d'autant plus sensible que le poème est anormalement long pour ce genre de mètre. (7) Après ce balancement dû aux propriétés intrisèques de certains mètres, notons les récurrences proprement langagières qui provoquent, elles aussi, un état de vertige ou d'étourdissement. Le poème le plus représentatif, de ce point de vue, est la septième ariette :

    O triste, triste était mon âme
    A cause, à cause d'une femme

ariette construite sur des répétitions syntaxiques, des répétitions de termes, de rimes, de vers, de strophes. Dans certains poèmes, nous avons une combinaison de plusieurs éléments générateurs ou potentiellement générateurs de vertige ou d'étourdissement ; le premier poème de *Streets* est le plus caractéristique : tercet à une seule rime, refrain, motif ludique de la danse, répétition du premier mot à la rime dans le dernier vers de chaque tercet, pour les deux premières strophes, et répétition du premier mot à la rime de la troisième strophe, dans le dernier vers de la quatrième. Il faut ajouter à ces techniques le motif des poèmes ; nous avons déjà noté la référence explicite au manège, à l'escarpolette, à la danse, mais, dans la mesure où l'ilinx comprend l'ivresse de la vitesse, il faut ajouter, à l'ivresse provoquée par ces jeux, l'ivresse donnée par le mouvement ferroviaire qui est un mouvement dominant dans *Paysages belges.* Considérons enfin la rengaine, ou tout ce qui relève de la rengaine : l' « antienne » de la première ariette, les « voix anciennes » de la deuxième, « l'air bien vieux » de la cinquième, les chansons populaires de la sixième, ainsi que les refrains de la sixième et de la septième ariette, de *Charleroi,* de *Chevaux de bois,* du premier

---

(6) Ibid., p. 45.
(7) Cf. Voltaire : *Dictionnaire philosophique,* article « hémistiche ».

poème de *Streets* et de *A poor young shepherd*. A ce propos, soulignons la richesse connotative, du dernier mot de la deuxième ariette :

> O mourir de cette escarpolette !

car, si le sens premier de ce terme en fait un synonyme de balançoire, il est lié dans plusieurs expressions au sens d'étourdissement et prend, dans le langage du théâtre, le sens de « rengaine ».

Les différentes modulations du jeu, de l'ilinx, que nous venons d'examiner, sont fondamentales en ce sens qu'elles sont à la source d'un type d'état de conscience qui domine le recueil. L'ilinx peut être considéré comme une technique pour aboutir à un sentiment d'ivresse ou de demi-conscience. Dans *Romances sans paroles*, il y a six poèmes qui présentent une tentative d'introspection ou d'analyse du sentiment, et dans ces six poèmes, la réflexion est mise en rapport avec un bercement, un balancement ou un mouvement répétitif. Dans la deuxième ariette, c'est l'escarpolette :

> Et mon âme et mon cœur en délires
> [...]
> O mourir de cette escarpolette !

Dans la troisième ariette, c'est le « bruit » de la pluie, « le chant de la pluie », qui insinue la peine ; plusieurs analyses dont déjà montré les rapports entre la pluie et les pleurs, surtout celle de Ruwet qui étudie les effets sémantiques des parallélismes syntaxiques et phoniques. (8) Dans la cinquième ariette, c'est le rythme musical qui devient berceau :

> Qu'est-ce que c'est que ce berceau soudain
> Qui lentement dorlotte mon pauvre être ?

Dans la septième ariette, la question procède de la répétition verbale même ; dans la première des *Simples fresques* le bercement de l'air est lié à la rêverie :

> Toutes mes langueurs rêvassent,
> Que berce l'air monotone.

Enfin, dans *Birds in the Night*, c'est l'image du navire qui sert à exprimer l'une des phases de la conclusion :

> Par instants je suis le Pauvre Navire
> Qui court démâté parmi la tempête

Dans *Romances sans paroles*, l'ivresse ludique provoque un état de conscience caractéristique de l'être verlainien, état d'étourdissement, d'engourdissement, de demi-conscience qui fait qu'il est impossible

_____

(8) N. Ruwet : *Parallélisme et déviations en poésie* in *Langue Discours Société*, Paris, Seuil, 1975, p. 329-330.

d'aller jusqu'à la réflexion, qui oblige à s'arrêter au seuil, à la question, qui empêche les « paroles ». Le jeu prend donc un rôle primordial dans le refus verlainien de la parole ; il est une technique, non seulement pour échapper au sérieux de la quotidienneté, mais encore au sérieux de la réflexion philosophique ; en ce sens, il est intimement lié à la conception du discours poétique.

Dans *Sagesse* le jeu disparaît. Aucun poème en taratanrata ou en tétrasyllabes ; trois poèmes seulement en pentasyllabes. Du point de vue du jeu de balancement, il n'y a que trois poèmes qui pourraient être, a priori, rangés avec les « romances sans paroles » : *Un grand sommeil noir, Le ciel est, par-dessus le toit* et *je ne sais pourquoi* ; remarquons que ces trois poèmes sont groupés dans la troisième partie, et que tous trois ont été composés à Bruxelles entre juillet et septembre 1873. Dans *La mer est plus belle*, le jeu est corrigé par l'apparition du sacré. Dans *Tournez, tournez, bons chevaux de bois*, la disparition du jeu est plus significative encore : la première atténuation est dans le remplacement de :

> C'est ravissant comme ça vous saoûle,

par :

> C'est étonnant comme ça vous soûle

La deuxième atténuation vient du fait que la seconde version suggère qu'il s'agit de jeux pour enfants, et la troisième vient de l'apparition des éléments religieux : dimanche, église, glas. Enfin, le poème disparaît complètement de la seconde édition de *Sagesse*.

Caillois, discutant la thèse de Huizinga sur les rapports entre le ludique et le sacré qui tous deux « se séparent du cours ordinaire de l'existence », est amené à opposer la prière, « attitude religieuse fondamentale », à l'attitude du magicien « qui entend contraindre les forces qu'il emploie » ; il écrit notamment :

> Dans le jeu [...] tout est humain, inventé par l'homme créateur. C'est pour ce motif que le jeu repose, détend, distrait de la vie [...] Au contraire le sacré est le domaine d'une tension intérieure auprès de laquelle c'est précisément l'existence profane qui est détente [...], la situation est inversée. (9)

Ce constat d'incompatibilité du jeu et du sacré tel que le décrit Caillois rejoint nos constatons sur l'effacement du jeu dans *Sagesse*, non seulement de l'ilinx, mais aussi des autres types de jeu, en particulier du mimicry, ou simulacre, dominant dans *Fêtes galantes*.

La fête n'existe que par rapport au monde de la quotidienneté ou, plus exactement, au « monde du travail » ; le jour férié est le contraire du jour ouvrable, où l'on œuvre. Or, nous avons vu que, dans *Fêtes galantes*, dans les « poèmes diaboliques », dans *Romances*

---

(9) R. Caillois : *L'homme et le sacré*, p. 217.

sans paroles, il y a une tendance vers une fête intégrale qui envahit la totalité du temps, excluant ainsi la quotidienneté. Dans *Sagesse* la quotidienneté est présente, et plus particulièrement le « monde du travail ». C'est un élément nouveau dans l'œuvre verlainienne, car, même dans la poésie intimiste antérieure à *Sagesse,* qui est pourtant relativement abondante, le travail est absent ; il est absent dans le rêve de vie matrimoniale de *La Bonne Chanson,* et il est implicitement moqué dans l'ironie de *Monsieur Prudhomme.* Dans *Sagesse,* le travail réintègre l'univers et est valorisé :

> La vie humble aux travaux ennuyeux et faciles
> Est une œuvre de choix qui veut beaucoup d'amour.

Dans les pièces IX et X, c'est par leurs métiers que les gens du Moyen Age et du XVIIème siècle sont évoqués :

> Roi, politicien, moine, artisan, chimiste
> Architecte, soldat, médecin, avocat,

Dans la première pièce de la deuxième partie, offrant tout ce qui en lui n'a pas été accompli, le poète s'écrie :

> Voici mes mains qui n'ont pas travaillé,

Dans l'élaboration de sa sagesse, l'être verlainien introduit et valorise le travail, beaucoup plus comme une antidote à la fête et au jeu, que comme une antidote à l'ennui. A l'appui de cette thèse, nous citerons Georges Bataille qui écrit :

> [Le travail] exige une conduite raisonnable, ou les mouvements tumultueux qui se délivrent dans la fête et, généralement, dans le jeu, ne sont pas de mise. Si nous ne pouvions refréner ces mouvements nous ne serions pas susceptibles de travail, mais le travail introduit justement la raison de les refréner. (10)

A part le travail, qui est à la fois une condition nécessaire de la fête et son contraire, nous rencontrons, dans *Sagesse,* d'autres éléments qui devraient permettre l'instauration d'une « vraie » fête. Enumérons-les brièvement. Parmi eux, il y a d'abord la régénération, l'opposition, entre le vieil homme et l'homme nouveau qui se superpose aux oppositions passé-présent, ennui-espoir, ici-ailleurs, païen-chrétien. C'est le thème des premiers poèmes de *Sagesse,* thème que l'on retrouve jusqu'à la troisième partie. Nous savons, d'autre part, que la régénération est au cœur de la fête, non seulement de la fête archaïque qui s'inscrit dans la conception d'un temps cyclique, mais encore dans les grandes fêtes modernes. Un second élément est l'intégration à la communauté. La fête est « un produit caractéristique de la dynamique psycho-sociale »; (11) en ce sens, elle est un événement collectif et

---

(10) G. Bataille, *L'érotisme,* Paris, éd. de Minuit, 1957, p.47.
(11) F. Isambert : *La fête et les fêtes,* in *Journal de psychologie normale et pathologique,* 1966, p. 293-294.

égalitaire ; c'est en particulier ce qui la distingue du spectacle (où il y a une dichotomie entre acteurs et spectateurs) et de la cérémonie (où il y a une dichotomie entre fidèles et officiants). La fête engage toute la collectivité, et dans la fête les différences sociales se défont. Cette étendue sociale de la fête et cette égalité festive n'apparaissent ni dans *Fêtes galantes* ni dans *Romances sans paroles* ; dans ce recueil la fête se limite au couple, dans celui-là à un groupe privilégié au côté duquel peuvent passer des spectateurs comme le négrillon de *Cortège*. Dans *Sagesse*, l'idéal d'une intégration à la collectivité et d'une harmonie de cette collectivité est très nettement exposé ; il justifie en particulier la nostalgie du Moyen Age présenté comme le temps de la foi unique et de l'harmonie collective. Redécouverte aussi du lieu de la quotidienneté comme le lieu même de la vie :

> [...] la vie est là,
>   Simple et tranquille
> Cette paisible rumeur-là
>   Vient de la ville.

Signalons enfin le sens du sacré, qui parcourt tout le livre, et qui est à la base de la fête.

Nous avons ainsi, dans *Sagesse,* tous les éléments qui permettent d'établir et de justifier la fête, et la fête apparaît à la fin du recueil, comme une conclusion :

> C'est la fête du blé, c'est la fête du pain.

Il est caractéristique, pensons-nous, que ce soit le seul poème de *Sagesse* qui exprime une totale plénitude du cœur, de l'âme et des sens ; ce poème est l'apothéose, le moment où l'être verlainien s'épanouit sans réserve, où il établit un rapport optimal avec autrui, avec le monde avec Dieu, avec l'univers ; il est caractéristique que ce moment de plénitude et d'épanouissement soit exprimé par une mise en scène festive. Cependant, l'analyse montre que ce n'est pas une fête que Verlaine imagine mais une anti-fête ; ce n'est pas une fête apollinienne succédant et s'opposant aux fêtes dionysiaques du passé mais la négation de la fête ; car le sujet même du poème c'est le travail et, plus précisément, l'union de l'homme, du cosmos et de Dieu par le travail ; ce poème est un hymne au travail universel : la plaine est « couverte de travaux », le soleil « travaille », la terre allaite, « Dieu moissonne, et vendange ». La transgression festive est totalement absente. Cette situation paradoxale est l'aboutissement de la longue quête de la sagesse. L'être verlainien, dans le recueil que nous considérons, est prisonnier d'un triangle dont les trois sommets sont la vie profane, qui mène à la damnation ; la sainteté, inaccessible ; la quotidienneté, porteuse d'ennui. L'être verlainien, dans *Sagesse*, va de l'un de ces pôles à l'autre, évoquant tantôt :

> la vie simple aux travaux ennuyeux et faciles tantôt les voix de l'Orgueil [...] de la Haine [...], de la chair » qui ne sont que « mourantes «, tantôt la sainteté hors d'atteinte (III, 8).

La seule issue est la quotidienneté, et l'être verlainien s'engage dans cette direction en opérant une fusion du travail et de la fête pour découvrir la plénitude au sein du quotidien. Ainsi, après avoir utilisé le travail pour rejeter le jeu et la fête, il réinstaure celle-ci en l'assimilant au travail sanctifié. Le travail est idéalisé par la fête.

Encore une fois, la fête est dénaturée. Cependant en l'assimilant au travail, et en faisant du travail le lieu de rencontre de la nature, de Dieu et de l'homme, Verlaine, encore une fois, l'universalise et l'éternalise, lui donne une permanence, ce qui revient à nier la quotidienneté.

Pour conclure, nous allons, d'une part, proposer un point de vue générale sur la fête et le jeu à partir des textes que nous avons considérés, et, d'autre part, prendre une perspective diachronique pour esquisser un rapport entre la démarche de Verlaine et la situation de la fête en France au lendemain de la guerre de 1870.

Nous fondant sur les textes que nous avons examinés, nous avancerons que la fête est un des horizons de l'imaginaire verlainien ; par elle, Verlaine exprime la plénitude de l'âme, du cœur ou des sens, ou, plus exactement, la recherche de cette plénitude. Ses recueils, ou certaines sections de ses recueils, ont pour objet d'élaborer une fête : fête de l'amour dans *Fêtes galantes*, fête du voyage dans *Romances sans paroles,* fête du quotidien sanctifié dans *Sagesse.* Ces différentes fêtes peuvent être considérées comme des modulations ou des formes paradigmatiques de la « fête éternelle » qui apparaît dans le poème *Aspiration* composé en 1861 :

> [...] éclair, emporte-moi !
>   Vite, bien vite,
> Vers ces plaines du ciel où le printemps est roi,
>   Et nous invite
> A la fête éternelle, au concert éclatant
>   Qui toujours vibre,
> Et dont l'écho lointain, de mon cœur palpitant
>   Trouble la fibre.
> [...]
> Ah ! pour me transporter dans ce septième ciel
>   Moi, pauvre hère,
> [...]
> Loin de ce monde impur où le fait chaque jour
>   Détruit le rêve,

Quelle que soit la forme de la fête verlainienne, elle est voulue comme fête totale, absolue, permanente, dépassant et envahissant les cadres spatio-temporels de la quotidienneté ; si ces cadres sont retenus, ce n'est qu'en apparence, comme dans *Sagesse.* En ce sens, l'on pourrait parler d'un panludisme verlainien, d'une tendance ou d'une aspiration à ramener la totalité de l'existence à un état festif. Ce panludisme se présente comme une rupture définitive avec la quotidienneté, une volonté de refuser systématiquement le caractère univoque que le quotidien impose aux hommes et aux choses. La fête verlainienne

est étrangère à une « dynamique psycho-sociale », elle est une restruc-
turation imaginaire du monde, et, par là, tient de l'utopie. Elle traduit
la qualité de la relation du moi verlainien au monde et à autrui, relation
établie d'après les lois de la fête qui, selon l'expression de Bakhtine,
sont « les lois de la liberté ». (12)

Nous proposons, en dernier lieu de prendre une perspective diachronique et d'examiner le référent de la fête au lendemain de la Commune, à l'époque où Verlaine compose *Romances sans paroles* puis
Sagesse. La plupart des analystes de la fête constatent une dégénérescence de celle-ci à l'époque moderne voire sa disparition. Wunenburger
met cette dégénérescence en rapport avec le développement de l'indi-
vidualisme chrétien :

> A partir du moment où les projets individuels se laissent concevoir en
> marge de la collectivité, en dehors des normes communes, les institutions
> chargées de porter à leur comble l'unité et la synchronisation des individus
> apparaissent lentement comme gênantes, puis comme inutiles. (13)

Pour Bakhtine, c'est la culture bourgeoise qui est responsable :

> Sous l'empire de la culture bourgeoise, la notion de fête ne fait que se
> rétrécir et de dénaturer sans toutefois disparaître (14)

Citons enfin Clément qui, dans *Question sur l'homme*, écrit :

> Dans l'Occident moderne, les vertus de sérieux, d'épargne, de travail,
> la « volonté de volonté » ont éteint les jeux de la fête, ont investi en puis-
> sance technologique ce que Georges Bataille appelait dans chaque civilisation,
> la part maudite, et qu'on pourrait aussi bien appeler la part sacrée. (15)

Ces prises de position exemplaires vont dans le même sens, à savoir
que l'état moderne avec sa quotidienneté « unidimensionnelle » (16)
a rompu avec l'esprit festif. Quoique la dégradation de la fête n'ait
pas été systématiquement étudiée, il semble que la consommation de
la rupture doive être située au cours de la seconde moitié du XIXème
siècle, au moment du triomphe du capitalisme industriel. Deux facteurs
parachèvent la destruction de la fête : d'une part, l'autorité bourgeoise
qui, aux lendemains de la Commune, ne tolère plus ce qui existe encore
d'écarts festifs, comme le montre en particulier des pétitions contre
la fête foraine adressées au préfet de police en 1887, (17) et, d'autre
part, ce que Josef Pieper appelle, dans sa théorie de la fête l' « altéra-
tion du travail ». Pieper montre que la fête est détruite lorsque « la

---

(12) M. Bakhtine : *L'Oeuvre de François Rabelais et la culture populaire au Moyen
Age et sous la Renaissance*, Paris, Gallimard, 1970, p. 15.
(13) Op. cit., p. 163.
(14) Op. cit., p. 275.
(15) O. Clément : *Questions sur l'homme*, Paris, Stock, 1972, p. 212.
(16) Ibid., p. 212.
(17) *Pétition à Monsieur le Préfet de Police pour protester contre l'abus des fêtes
dites foraines à Paris.*

vie quotidienne n'est que vexations, activités dénuées de sens, corvées, en un mot lorsqu'elle devient absurde ». (18) Plus tard, la société capitaliste s'ouvrira sur le panludisme qu'ont analysé, en particulier, Henri Lefebvre (19) et Wunemburger, (20) mais, à l'époque où écrit Verlaine, il y a un manque de fête. C'est cette forme vide, qui fut jadis celle de la transgression re-créatrice, que Verlaine transpose sur le plan littéraire pour remettre en question, dans les recueils que nous avons considérés, la socialisation de l'amour, la socialisation de l'espace, la socialisation du sacré. Ajoutons que c'est par le jeu qu'il aboutit, au moins dans un de ses recueils, à une remise en question de la parole et du discours. Cependant, ces remises en question, ou révoltes, restent des problèmes strictement individuels, et l'on pourrait reprendre ici un aspect des conclusions de Kittang lorsqu'il examine le ludisme rimbaldien dans la perspective de Bakhtine et qu'il oppose « la culture carnavalesque [...] manifestation collective » au « texte ludique de Rimbaud [...] manifestation froidement solitaire ». (21) Du point de vue de l'histoire de la fête, la fête qu'élabore Verlaine est une fête détériorée, dénaturée, complètement détournée d'un dynamisme social. S'il y a dans sa poésie, l'expression d'une tentative d'affranchissement vis-à-vis d'oppressions sociales dans différents domaines, celle-ci n'en reste pas moins une question individuelle où l'écrivain est seul en cause. D'un point de vue sociologique et historique, il est probablement significatif que cette détérioration d'une fête imaginaire soit contemporaine d'une intense détérioration de la fête réelle. Verlaine n'est pas un cas isolé et il faudrait certainement l'intégrer dans un ensemble qui comprendrait tous ceux qui, durant cette période, se sont tournés vers la fête et le jeu : les Vilains Bonshommes, les Hydropathes, les Zutistes, les Rollinat, les Cros, les Glatigny ... En ce sens, Verlaine occupe une place toute particulière dans le mouvement décadent.

J.-S. Chaussivert

---

(18) J. Pieper : *Zustimmung zur Welt,* München, Kösel — Verlag, 1963, chap. I.
(19) H. Lefebvre : *La vie quotidienne dans le monde moderne,* Paris, Gallimard, 1970.
(20) Op. cit., deuxième partie, ch. IV.
(21) A. Kittang : *Discours et jeu,* Presses universitaires de Grenoble, 1975, p. 344.

SIX POEMES : UN RÉSEAU

1. Mise en évidence.

1. 1) Parcours de concentration.

Toute recherche de structure s'expose à réunir des éléments à la fois imprécis, diffus dans l'œuvre, et presque inévitables ; la structure ne serait plus alors qu'une sorte d'accord qui se formerait de façon spontanée, mille fois, et mollement, sur toute lyre accordée sur un certain mode : celui de Verlaine, par exemple. Si l'on prétend montrer que, chez lui, certains éléments peuvent être éventuellement appelés à se consteller, il est donc aussi prudent qu'honnête de commencer par repérer dans *toute* son œuvre, vers et prose (1), la présence, isolée ou non, de *chacun* d'entre eux. Si fréquente que soit, isolement, chaque présence, toute réunion à deux gagnera dès lors en rareté et en signification ; plus encore, à trois, à quatre, etc... Ainsi verrait-on s'élaborer un réseau de plus en plus complexe qui pour aboutissement se trouve, de fait, ici, proposer une cohérence à six termes, présents dans six textes, mais dont on est enfin sûr d'apprécier exactement le privilège.

Autant dire, inversement, qu'un tel travail ne peut, dans tous ses méandres, se suivre ici. Seuls peuvent se dire ses résultats décantés, et, par exemple, sous cette forme : énumérer d'abord les textes qui unissent deux termes : même si ces termes doivent, ailleurs, s'en adjoindre encore d'autres, ils ne le font pas encore en cette première instance. Puis ajouter un troisième terme, lui-même appelé à demeurer constant sous des enrichissements ultérieurs ; et ainsi de suite. De cette façon se constitue, sûr, simple et rapide, une sorte de parcours de concentration qui mène à un noyau assez complexe enfin pour mériter le nom de structure, et un examen.

1) et 2). Un premier groupe de textes offre donc ainsi, et sans difficulté, l'arbre et l'eau. Relation qui, pour n'être pas nécessaire, demeure, on le sent, bien vague : seul, aussi, le souci d'un dénombrement complet impose d'en donner la liste des apparitions, sinon de

---

(1) Il s'agira donc des deux volumes de la Pléiade récemment établis par J. Borel et qui ont été, chacun, pour cette étude scrutés attentivement, et de part en part. Toutes nos références sans autre précision y renvoient.

la lire : une note y suffira (2). Retenons seulement le nombre des cas : quatorze. 3) A cette cohérence sommaire, quelques autres textes apportent cependant un troisième terme : un oiseau, dont on notera qu'il est encore ici privé de tout chant ; huit cas (3). 4) Nous accédons heureusement à une cohérence moins pauvre, sinon encore bien attachante, sitôt que l'oiseau se met à chanter. Eau - arbre - oiseau - chant, voilà donc désormais ce qu'offrent six poèmes : « Parisien mon frère... » (*Sagesse* III 20, pp. 289-90) ; *L'Angélus du matin* (*Jadis et Naguère : Jadis, Vers jeunes*, pp. 363-4) ; « Ta voix grave ... » (*Amour : Lucien Létinois* 24, pp. 461-2) ; *Frontispice pour une Année de « La Plume »* (*Dédicaces, Appendice pour une nouvelle édition*, p. 636) ; *Lamento* (*Poèmes divers*, p. 1012) ; *Pâques* (*Poèmes divers*, pp. 1017-8). Réciproquement, rien en prose. 5) L'eau, l'arbre, l'oiseau chanteur : on n'ose encore parler de structure. Un nouveau terme encore, donc : l'obscurité. Celle qu'apporte *Promenade sentimentale* (*Poèmes saturniens, Paysages tristes* III, pp. 70-1). Mais ici, aucun autre poème, aucune prose non plus. A ce brusque étranglement nous sentons une frontière : introduire l'obscurité dans la cohérence c'est trop ; ou trop peu ? 6) De fait, si *Promenade sentimentale* est isolé, c'est qu'il est le seul texte à ne pas adjoindre à la cohérence un autre terme, sixième, et, surtout, décisif : *un sens qui, par l'oiseau ou par lui-même, émane de la scène*. Or cette constellation d'eau, d'arbre, d'oiseau, de chant, d'obscurité et de sens, qu'on la juge ou non banale et insignifiante, se déchiffre *seulement* dans *six* poèmes et peut-être quelques lignes de prose. On découvre ces dernières dans un texte plus oublié qu'aucune ... ariette, la Préface à « *Tout Bas* » par Francis Poictevin (*Articles et Préfaces* [1893-1895], p. 921). On nous saura gré de le reproduire d'abord, en soulignant les affleurements de la cohérence : dans l'œuvre de Poictevin, écrit Verlaine, « la pensée *flue* pure d'un *cours* limpide

---

(2) Poèmes - *A la Promenade* (*Fêtes galantes*, p. 109) ; « L'échelonnement des haies ... » (*Sagesse* III, 13, p. 284) ; *Madrigal* (*Jadis et Naguère : Jadis, A la manière de plusieurs* IX, p. 376) ; *Bournemouth* (*Amour*, p. 413) ; *Allégorie* (en tête de *Parallèlement*, p. 485) ; « Quand nous irons ... » (*Epigrammes* XIII, p. 864) ; *En septembre* (*Poèmes divers*, p. 1036).
Prose - Des passages dans les textes suivants : *Quelques-uns de mes rêves* (*Les Mémoires d'un veuf*, p. 62) ; *Quinze jours en Hollande* III (pp. 370-2) ; *Confessions* II 6 (pp. 507-8) ; *Croquis de Belgique* I (p. 554) ; *Vieille ville* (pp. 1049-50); *Rethel et le Rethelois* (*Nos Ardennes*, p. 1068). Sans doute doit-on encore retenir, comme témoignage de l'intérêt que Verlaine porte à cet ensemble arbre/eau, un texte qui n'est pas de lui, mais qu'il a lu et, en le reproduisant, incorporé de fait à son œuvre : le poème d'Ernest Raynaud, *Effet du soir*, reproduit dans la Préface qu'a rédigée Verlaine pour un ouvrage de ce dernier, *Les Cornes du Faune* (*Articles et Préfaces* [1890-1892], p. 743).
(3) Poèmes - *Après trois ans* (*Poèmes saturniens, Melancholia* III, p. 62) ; *L'heure du berger* (*Poèmes saturniens, Paysages tristes* VI, p. 73) ; *Nocturne parisien* (*Poèmes saturniens*, pp. 83-4) ; *Clair de lune* (*Fêtes galantes*, p. 107) ; « Le soleil du matin ... » (*La bonne chanson* I, p. 142) ; *Paysages* (*Amour*, pp. 441-2).
Quant aux proses : un fragment d'*Aegri somnia* (pp. 200-1), repris plus tard dans *Croquis de Belgique* I (p. 559) ; enfin convient-il de signaler, comme nous l'avons fait pour le poème d'E. Raynaud, celui de René Ghil *(Impromptu de cuivres et basses)* que reproduit l'article qui est consacré à Ghil dans *Les Hommes d'aujourd'hui* (p. 826).

et sinueux sous les mille *ombrages* fleuris, fleurant et musicaux d'une fantaisie où très souvent *chante* clair [sic] et grave *quelque haute idée et triste bien et douce mieux encore.* » (4) Mais voici enfin, et surtout, nos six poèmes, autrement connus, pour leur part, mais qui n'ont jamais été *réunis* :

— Le Rossignol (*Poèmes saturniens, Paysages tristes* VII, pp. 73-4) ;
— En Sourdine (*Fêtes galantes,* p. 120) ;
— « La lune blanche ... » (*La Bonne Chanson* VI, pp. 145-6) ;
— « C'est l'extase ... » (*Romances sans paroles : Ariettes oubliées* I, p. 191) ;
— « Dans l'interminable ... » (*Romances sans paroles : Ariettes oubliées* VIII, pp. 195-6) ;
— « L'ombre des arbres ... » (*Romances sans paroles : Ariettes oubliées* IX, p. 196).

On le voit, la structure vient d'atteindre une certaine consistance, et le parcours de concentration un but.

1. 2) Description de la structure.

Que les six termes soient présents dans ces six poèmes, on s'en assure bien vite. L'eau ? « Eau des Regrets » du *Rossignol* ; « étang » de « La lune blanche ... » ; « eau qui vire » dans « C'est l'extase ... » ; « rivière embrumée » dans « L'ombre des arbres ... ». Explicite jusqu'alors et donnée comme telle, l'eau se trouve, dans les deux autres textes, présente à l'état d'image : « *ondes* de gazon roux » *(En Sourdine)* ; « Comme des nuées/*Flottent* gris les chênes » (« Dans l'interminable ... »). Quant aux arbres, ils sont partout, et clairement (par exemple, et successivement : « feuillage », « branches hautes », « chaque branche », « ramures grises », « chênes », « arbres »). Comme aussi l'oiseau chanteur ou seulement bruyant (« vol criard d'oiseaux » etc... ; « Le rossignol chantera ... » ; « De chaque branche/Part une voix ... » ; « Le chœur des petites voix » ; « Corneille poussive » ; « Se plaignent les tourterelles »). Mais l'obscurité ? : « splendeur triste d'une lune » et « Nuit mélancolique et lourde d'été » ; « demi-jour » et « soir » ; « lune » et « astre » ; « tiède soir » ; « sans lueur aucune » ; « embrumée » et « fumée ». Enfin, partout, et presque toujours à la fin du texte, vient une totalisation de l'impression : « L'oiseau que fut *mon Premier Amour* », « L'arbre qui frissonne et l'oiseau qui *pleure* » ; « Voix de notre *désespoir,* / Le rossignol chantera » ; « Un vaste et tendre / *Apaisement* / Semble descendre / Du firmament », « C'est l'heure *exquise* » ; toute la dernière strophe de « C'est l'extase ... » (« âme qui se *lamente* », « humble antienne ») ; de même, dans la huitième ariette (« Dans l'interminable ... »), et désormais sous forme interrogative : « Corneille poussive / Et vous, les loups maigres, / Par

_____

(4) La prose offrira encore la citation fugitive d'un des *poèmes* que nous allons énumérer, et cela dans la *Conférence faite à Anvers (Conférences* p. 905).

ces bises aigres / *Quoi donc vous arrive ?* » ; enfin le paysage qui
« Te mira blême toi-même », tandis que « pleuraient » « Tes *espérances
noyées* ». Est-il besoin de préciser que toutes ces constances s'exercent
dans le cadre de poèmes trop courts pour qu'on les suspecte d'être le
fruit de prélèvements complaisants sur de vastes étendues de texte ?

Si tous les termes sont bien présents, paraissent-ils encore dans
un ordre défini, comme les éléments de certains réseaux que Ch. Mau-
ron décelait chez Nerval et Mallarmé ou ceux qui, dans plusieurs textes
de Hugo (on l'a personnellement proposé ailleurs), redisent, et dans
l'ordre, le rêve complexe du *Dernier jour d'un condamné* ? Ici, aucune
relation n'est constante, c'est-à-dire présente six fois : les plus fré-
quentes vont, trois fois, de l'arbre à l'eau, trois fois aussi de l'arbre
à l'oiseau ; plus fréquente (quatre fois et dans les quatre premiers
textes en date) et plus intéressante, de l'eau au sens. Enfin le sens
tend évidemment à figurer à la fin du texte.

1. 3) Antécédents critiques et enjeu propre de l'étude.

Que les éléments du réseau soient en eux-mêmes intéressants ou
non, intéressant, assurément, est leur assemblage et le privilège qu'il
assure à nos six poèmes, entre lesquels, et eux seuls, peuvent désormais
se nouer de solides relations. Ici, d'ailleurs, s'accomplissent et se synthé-
tisent un certain nombre d'intuitions de nos prédécesseurs. Si l'œuvre
de Verlaine était tout à l'heure devenue le champ d'un parcours de
concentration, ainsi en irait-il, tout autant, de la critique ! Des relations
entre ces textes ont déjà été esquissées. Un rappel rapide des derniers
et des plus importants apports à cet égard permettra peut-être d'être
équitable.

Assez de textes ont déjà été comparés deux à deux (5) pour
qu'une simple compilation de ces rapprochements définisse l'essentiel
du groupe, et dans cette synthèse, le travail d'E. Zimmermann jouerait,
on l'a vu en note, un rôle déterminant. Mieux, ces mêmes *Magies de
Verlaine* proposent encore un rapprochement à trois (pp. 63-7 : *En*

---

(5) *Le Rossignol* et « L'ombre des arbres ... » (J.H. Bornecque, *Lumières sur
« Les Fêtes Galantes* », pp. 59-60 ; J. Borel, Pléiade, *Poésie*, p. 1080 et E. Zimmermann, *Magies de Verlaine*, pp. 75-6);
  En Sourdine s'allie déjà à « C'est l'extase ... » (E. Zimmermann, p. 195) ;
  « La lune blanche ... », déjà renvoyée au passé par O. Nadal (*Paul Verlaine*,
Mercure de France, pp. 110-2) et J. Robichez (éd. Garnier p. 572, qui évoque l'époque d'Elisa Moncomble) est plus précisément rapprochée de « C'est l'extase ... »
(à nouveau par J. Robichez, p. 580, et par E. Zimmermann, p. 147), mais rapprochée aussi de « L'ombre des arbres ... » (E. Zimmermann pp. 59 et 75-6).
  « C'est l'extase ... » (qui évoque à J. Robichez *Ci·conspection*, dans *Jadis
et Naguère* et la *Mandoline* des Fêtes galantes p. 580) a été presque rattaché à
chacun des autres textes (chez E. Zimmermann, elle l'est, on l'a vu, à *En Sourdine*,
et à « La lune blanche ... » ; mais elle l'est aussi, sous la même plume, au poème
« Dans l'interminable ... » (p. 87 : par l'intermédiaire de « Le son du cor s'afflige
vers les bois ... » *Sagesse* III 9) et à « L'ombre des arbres ... » (pp. 36 et 118).
  Quant aux deux derniers poèmes, ils ont donc déjà reconnu leurs répliques :
« Dans l'interminable ennui ... » rattaché à « C'est l'extase ... » ; « L'ombre des
arbres ... », enfin, au *Rossignol*, à « La lune blanche ... » et à « C'est l'extase ».

Sourdine, « La lune blanche ... » et « C'est l'extase ... ») et même à quatre et plus (p. 174, n. 34 : *Le Rossignol, En Sourdine,* « C'est l'extase ... » et « L'ombre des arbres ... »). La structure n'est-elle pas déjà identifiée ? Oserons-nous dire que notre entreprise conserve encore originalité et intérêt ?

Peut-être, et pour trois raisons. 1) On n'a jamais rapproché les six textes *à la fois* ; 2) même à deux, les rapprochements demeurent parfois très vagues et, en tout cas, n'ambitionnent jamais d'être systématiques et complets (par exemple, du *Rossignol,* l'un retient seulement le miroir, un autre « le thème discursif du rossignol », un troisième « la plupart des images » et à nouveau le miroir). Et le rapprochement à quatre (E. Zimmermann, p. 174 n. 34) se limite aux « voix de la campagne, de la forêt qui faisaient écho à la sienne ». Les relations les plus fermes (et les plus neuves) sont en définitive celles que E. Zimmermann propose entre trois textes (pp. 63-7) : *En Sourdine* « La lune blanche ... » et « C'est l'extase ... ». Telle est à nos yeux la dernière avancée critique en la matière. 3) Aussi partiels, les précédents rapprochements ne prétendent aucunement, enfin définir une structure précise ni, surtout, la proposer comme un en-soi, un noyau plus ou moins conscient qui vienne gouverner du plus profond l'écriture de certains textes. Tel est au contraire, on le sent bien, le statut que nous lui reconnaissons. Mais d'où vient-elle ?

2. L'origine ?

Simple curiosité ou véritable exigence logique, on n'échappe pas à cette question de l'origine. Répondre définitivement supposerait de connaître, dès le premier éveil de l'activité mentale de l'homme Verlaine, non seulement ses contenus mentaux conscients, mais tout son inconscient. Ce n'est pas pour autant un argument en faveur d'un complet agnosticisme, c'est-à-dire de la paresse : reste à identifier, sans les donner nécessairement pour origine, les éléments les plus *anciennement* repérables. Or comme aucun indice n'invite à douter que l'ordre de composition ne fut pas celui que nous percevons au niveau de la publication (et, ici, de l'énumération) (6), *Le Rossignol* représente la première apparition de la structure, et cela en 1866.

---

(6) Ni manuscrit ni pré-originale pour donner au *Rossignol* une autre date que celle de la publication : automne 1866. *En Sourdine* paraît dès le 1er juillet 1868 dans *L'Artiste* (puis, incorporé au recueil des *Fêtes galantes,* en mars 1869). « La lune blanche ... » fut « sans doute écrit à Lécluse vers la mi-août » de la même année (J. Robichez, p. 573) ; envoyée en tout cas à Mathilde avant le 23 août 1869. De nos trois *Ariettes oubliées,* la première (« C'est l'extase ... ») paraît en pré-originale le 18 mai 1872 (dans *La Renaissance littéraire et artistique*), la huitième (« Dans l'interminable ... ») partage les commentateurs entre fin décembre 1871 et une date d'ensemble des Ariettes, celle qu'on lit à la fin de la dernière : « Mai, Juin 1872 ». Cette dernière (« L'ombre des arbres ... ») ne peut à son tour en recevoir d'autre.

(Inversement, celle-ci éteint définitivement son action poétique en juin 1872). (7).

2. 1) Lécluse

C'est donc dans l'orbite des *Poèmes Saturniens* et, au plus tard, en 1866 qu'il faut d'abord en chercher l'origine : elle y trouve immédiatement des cadres clairs, que J. H. Bornecque (8) nous a enseignés. Poèmes : les paysages des *Poèmes Saturniens* ; lieux réels : les étangs de Lécluse, aimés dès 1862 (et qu'on peut contempler en photographie dans son ouvrage, pp. 84 et 86) (9). Et l'on mesure quel surplus de preuve apporte aux analyses de J. H. Bornecque la *ténacité* inconsciente de ces paysages, pendant six ans au moins, telle qu'elle s'exprime dans celle de la structure. Si elle n'interdit nullement, par surcroît, de déchiffrer dans « mon Premier Amour » la personne d'Elisa Moncomble, elle ne l'impose pas non plus ; et on le regrette, tant il eût été séduisant de pouvoir désormais, à la faveur de cette ténacité même, désigner, et par les mêmes noms, après *Le Rossignol,* les deux amoureux d'*En Sourdine,* puis voir un ancien amour animer secrétement l'amour tout neuf de *La Bonne Chanson,* puis encore la première ariette (et si le rival était ici Rimbaud ?) et donner le motif précis de la désespérance générale qui pleure dans la dernière. Avouerons-nous même que notre sentiment irait, sans preuve, dans ce sens ?

----

(7) Son unique affleurement ultérieur sera, en prose, vingt et un ans plus tard, le 1er décembre 1893 (dans la revue *La Plume*), l'article sur Francis Poictevin que nous avons cité plus haut. Par quel miracle ? Nous l'ignorons. Mais peut-être le titre du volume de Poictevin qui est l'occasion de l'article, *Tout bas,* a-t-il pu éveiller précisément chez Verlaine le souvenir d'un de nos six textes, la fin de la première ariette : « Par ce tiède soir, *tout bas* ». Ce qui rejoint d'ailleurs un autre titre : *En Sourdine.* Si l'on n'ose trop affirmer une hypothèse qui confirmerait aussi magnifiquement l'interprétation d'ensemble, on accueille pourtant avec satisfaction la phrase qui, dans l'article de Verlaine, suit immédiatement celle que nous avons citée : « *Les titres exquis de ses récentes œuvres* [nous soulignons], *Double, Presque, Heures,* enfin *Tout bas* ravissent par leur comme divinatoire indication, projetant tout au long du livre un *leitmotiv* dont profite en belle et saine lumière la subtilité savante du contexte ». (p. 921). Les titres n'auraient-ils pas, ici, une curieuse importance ?
(8) *Les poèmes saturniens,* chp. III, pp. 81-99.
(9) Un détail cependant : eau stagnante ou eau coulante ? Stagnante assurément pour « l'étang » de « La lune blanche ... ». Mais incertaine dans *En Sourdine* (« ondes ») ou « Dans l'interminable ... » (« Flottent »), et coulante assurément dans *Le Rossignol* (« coule »), « C'est l'extase .. » (« Sous l'eau qui vire / Le roulis sourd des cailloux ») et « L'ombre des arbres ... » (« rivière »). Certes il y a une rivière à Lécluse (« laquelle se nomme, par une espèce d'ironie, la Sensée ... », Bornecque p. 84). Mais la pièce majeur de l'argumentation, la lettre à Lepelletier du 4 octobre 1862 (Bornecque pp. 84-5 ou E. Zimmermann pp. 276-7) va des marais aux bois, et ignore toute rivière. Celle-ci se retrouve dans le rêve des *Mémoires d'un veuf* (Prose pp. 62-3 ; 1886) : mais ce site, pour être dit « paysan », est explicitement rapporté à Paris et il y a au moins ici condensation de deux éléments.

2. 2) Paliseul ; et « L'ombre des arbres ... ».

Mais Lécluse et les années 1862-6 ne sont pas les seuls repères possibles. D'autres indices viennent du *rêve* d'*Aegri Somnia* (pp. 200-1), impossible à dater avec précision (cf. p. 1205) mais repris en 1895, avec quelques variantes, dans *Croquis de Belgique* I (pp. 559-60). Voici *Aegri Somnia* :

« Sedan (prononcez S'dang), Bouillon, Palisseul (prononcez Plaizeû), Jéhonville (prononcez Djonvî), lieux d'enfance. Que changés ! Dans le bois, à droite, en venant, le grand bois murmurant jadis sous des vents parfumés de bruyère, de myrtilliers, et de genêts, et pleins du cri lointain des loups et de leurs yeux comme tout proches, il y a des becs de gaz, et dans les clairières, très nombreuses aujourd'hui, des industries mal odorantes. O les vilains ouvriers flamands et italiens ! Je reonnais le chêne, le Père qui s'élève à l'entrée du bois ? ... du bois ... Salmon (c'est bien ça), de quelques mètres éloigné des premières futaies. Horreur ! Un Robinson s'y est installé, à l'usage de couples à demi paysans : bières et sirops, macarons et veau froid, chef crasseux et bonnes sales. Du trottoir et du bitume et du béton. La campagne autour, quelquefois sauvage, s'est faite plate à force de jardins potagers. Les beaux étangs noirs qui clapotaient gais et sinistres en plein vent dans l'âpre prairie, il y a des cygnes et des bêtes cyprins dedans et une bordure de granit rose autour... Je m'y mire et j'y vois une face grassouillette dont je reste tout confus en présence de mon innocence, là vivante jadis et de tout ce qui s'est passé entre ma maigreur d'alors et ce ridicule, cet odieux embonpoint qui dit tant de choses digérées, de choses plates, laides, médiocres et lâches. — Et que béni soit le sursaut vengeur me rendant tout à mon réel malheur, fier alors ! »

On mesure d'emblée les réserves que peut inspirer ce texte : sans doute tardif (le style à lui seul en témoigne), il ne retrace peut-être même pas un véritable rêve et ses « beaux étangs noirs qui clapotaient gais et sinistres en plein vent dans l'âpre prairie » ne sont pas, malgré la présence de forêts dans le contexte, ces étangs mêlés aux arbres dont nos poèmes imposent l'image. L'effet de miroir qu'il met en jeu sur sa fin est lui-même assez banal. Mais cet effet n'est-il pas présent, aussi, dans la moitié de nos poèmes (*Le Rossignol*, « La lune blanche ... » et « L'ombre des arbres ... ») ? N'est-il pas surtout, dans le « rêve », associé à une problématique du maigre et du gros, elle-même identifiée à celle du bien et du mal ? Or voilà qui rappelle assez bien la liaison qui, très tôt, s'établit chez Verlaine entre le *vague* et la menace psychique d'une part, le « fin » et le salut de l'autre. Si, entre autres preuves, *En patinant* des *Fêtes galantes* fournit déjà de très nets indices, à l'époque même des *Ariettes oubliées* n'est-ce pas, précisément (et sans nécessité aucune), à l'incertitude sexuelle que s'associent les poèmes ouatés porteurs des premières hardiesses impaires (neuf : « Je devine à travers ... » ; onze : « Il faut voyez-vous... ») et dont les rimes sont toutes féminines faute de pouvoir, en langue française, être totalement neutres et « cheminer loin des femmes et des hommes » ! Or ce vague est aussi la marque, entre toutes

nos présences structurales, de « L'ombre des arbres ... ». Dès lors,
la « face grassouillette » qui, bien plus tard, s'apparaîtra dans l'eau
où fut jadis son innocence appartient presque déjà à cet être « blème »
et en désarroi de noyade qui, dans la brume (verbale aussi) du poème,
se penche sur un miroir d'eau : traversant les peines et les joies associées
à Elisa ou à Mathilde (présentes certes dans les « espérances noyées »),
notre structure semble, avec ce poème, plonger dans l'eau primitive
d'une angoisse radicale (10).

Or ce miroir de vérité, assez commun en culture pour n'être
de nulle part, Verlaine éprouve le besoin de le situer, et ce n'est pas
à Lécluse en 1866, mais bien plus tôt, dans les « lieux d'enfance »,
Sedan, Bouillon, Paliseul, Jehonville. Certes : il a un an, en 1845,
lorsqu'il passe ses premières vacances à Paliseul (actuellement dans le
Luxembourg belge) chez sa tante Louise-Henriette Grandjean, sœur
aînée de son père, lequel était aussi né à proximité. Il y retournera
à cinq ans en 1849, et plusieurs fois encore. Or il est à noter que
les souvenirs aimables qu'il lui consacre au premier chapitre de *Croquis
de Belgique* (pp. 553-60) prennent fin, d'une façon autrement plus
grave, et un peu inattendue, sur la reproduction du rêve d'*Aegri Somnia* : « Le souvenir de ces lieux et de ces temps me poursuit pourtant
après tant d'années écoulées de toutes façons, témoin, avant d'en finir
avec ce chapitre, ce rêve ... » (559). De même, sur les onze vers que le
poème *Paysages* (*Amour* pp. 441-2) consacre à ce « pays de mon
père », trois évoquent les mêmes étangs et, précisément, dans la même
nuance de pureté dure :

> « Noire de profondeur, sur l'étang découvert,
> Sous la bise soufflant balsamiquement dure
> L'eau saute à petits flots, minéralement pure. »

On ne saurait donc douter que les étangs de Paliseul n'aient représenté pour Verlaine, et « du côté du père », un très ancien pôle de
pureté. On mesurera peut-être aussi combien, *par sa seule atmosphère
de vague,* « L'ombre des arbres ... » participe déjà d'une angoisse et
d'une culpabilité que le visage épaissi d'*Aegri somnia* viendra clairement
affirmer.

Si Paliseul complète ainsi par l'enfance et la morale la dimension
adolescente et amoureuse qu'apportait Lécluse, il est clair, pourtant,
qu'aucune expérience précise ne peut, dans l'état actuel de nos connais-
sances (et sans doute à jamais), être proposée comme l'origine de la
structure. Ainsi doit-on postuler, comme dans un *stemma* d'édition
de textes antiques, un x, archétype inconnu d'une filiation connue.
Plus sensiblement, une expérience, un instant peut-être, où, quelque
part chez Verlaine, se sont constellés les six termes de la structure.
Pour céder fugitivement à une invite du texte (« Rêvons, c'est l'heure » !), on imagine un moment crépusculaire, près d'un des étangs

---

(10) Cf. d'ailleurs, chez J. Robichez, la note 3 de la p. 587.

de Lécluse, où un chant d'oiseau dans un arbre parut être subitement l'expression objective d'une désespérance intime (seul ou à deux).

3. Modes de présence et d'action.

Heureusement, de façon plus repérable comme aussi plus littéraire, on peut préciser comment cet archétype va animer chacun des textes successifs. Deux avenues se proposent immédiatement : le degré de clarté qu'offre la structure dans chaque texte, en particulier le statut direct ou seulement imagé de ses éléments ; et cette autre qui doit, dans certains commentaires, se mêler à la première : l'ampleur quantitative de son action.

3. 1) *La structure à découvert : Le Rossignol ; « La lune blanche ... ».*

Nos six éléments se proposent immédiatement comme réels dans deux poèmes, et tout d'abord dans *Le Rossignol*. Premier texte en date, celui-ci est également (ce qui n'était pas obligatoire) celui où ils sont les plus clairs ; au point que tout commentaire risque d'être ici pure paraphrase, qu'on épargne au lecteur. On retiendra seulement qu'à mesurer, désormais, quelle fécondité connut bientôt cette coalition d'éléments, on doit rendre à ce texte un peu négligé une importance qui, sur le plan affectif, doit désormais l'égaler aux deux *Nevermore* ou à la *Chanson d'automne* ; et, sur un plan plus proprement poétique (au sens de la production d'un texte), le situer très au-delà.

Semblable limpidité, encore, dans « La lune blanche ... » : si l'on néglige les trois vers isolés qui suivent chaque quatrain, nos six éléments apparaissent en toute évidence ; encore, de ces trois vers, le dernier (« C'est l'heure exquise ») se rattache-t-il nettement au sens émané des choses. Autant dire qu'à deux vers près la structure anime tout le texte : soit, sans doute, plus que dans *Le Rossignol* dont le cours passe, volontairement, par ces méandres de tristesse dont un autre des *Poèmes Saturniens* (trop méconnu lui aussi) constitue une avancée encore plus belle, le *Crépuscule du soir mystique*. A comparer « La lune blanche ... » et *Le Rossignol,* on mesure donc combien dans « La lune blanche ... » le réseau *trie en sa faveur* les impressions nocturnes, dont maintes autres auraient pu lui être intégrées.

La mise en évidence d'une structure commune, ici, avec celle du *Rossignol* prend en charge, par ailleurs, si l'on ose dire, l'étonnement de la critique, pratiquement unanime à sentir dans « La lune blanche ... » et le poème qui le précède dans *La Bonne Chanson* (V : « Avant que tu ne t'en ailles ... ») une sorte de dissonance par rapport à leurs voisins. De ces poèmes écrits (comme, encore, le n° IV, « Puisque l'aube grandit ... ») à Lécluse en cet été 1869, « La lune blanche ... » est le plus proche des *Poèmes Saturniens*, comme si les lieux et le souvenir avaient fini sous la forme d'une émergence de la structure par dicter leur loi au poète, et, peut-être l'ancien amour au nouveau. Cette dissonance est encore plus nette si on compare « La lune blanche... » avec un poème écrit le mois précédent, et dans un autre lieu (Fampoux) où quatre termes de la structure (eau, arbre, oiseau et signification du paysage) ne parvenaient pas encore à s'annexer les deux autres (chant et obscurité) : le premier poème de *La Bonne Chanson* (« Le soleil du matin doucement chauffe et dore ... » (11)

3. 2) L'appel structural et l'infiltration figurée de l'eau : « En Sourdine », « C'est l'extase ... », « Dans l'interminable ... ».

Si dans ces deux textes tous les éléments de la structure se donnent aussi immédiatement comme réels, trois autres poèmes appellent quelques nuances et apportent sur les mouvements de création une bien curieuse indication : *En Sourdine,* « C'est l'extase ... » et « Dans l'interminable ... ».

Le poème « C'est l'extase ... » est aussi largement que « La lune blanche ... » commandé par la structure : seuls, sur douze vers, lui échappent les deux premiers, au point qu'à le lire en commençant au troisième vers, la structure saute aux yeux. On voit dont à nouveau avec quelle autorité elle trie en sa faveur parmi les divers possibles. Mais, précisément, deux vers, avant elle, ont engagé le poème dans une direction qui loin d'être celle d'un paysage, relève d'une impression amoureuse. Les entours de paysage, à partir du vers trois, en deviennent moins autonomes et semblent aussi une irradiation de l'extase et de la langueur. Les éléments de la structure ne se donnent plus, dès lors, aussi nettement comme réels, et surtout, l'un d'entre eux, l'eau, devient franchement imaginaire : « Tu dirais, sous l'eau qui vire, / Le roulis sourd des cailloux ». Or on touche ici à un phénomène assez remarquable et encore inexploré ici : *la puissance de la régulation qu'opère sur un texte un réseau inconscient.* Cette eau qui n'appartient pas au réel, qui n'est, au niveau de l'image, qu'un des multiples possibles, et non des plus naturels, n'a donc, pour venir dans le texte, d'autre urgence que d'appartenir à un réseau dont tous les autres termes sont en train de se consteller, d'autre urgence que la force propre du réseau inconscient.

Or le même type de commentaire va immédiatement éclairer le poème *En Sourdine,* mais aussi le parallèle qu'impose celui-ci, on le sait, avec un texte antérieur d'un an (juillet 1867) : *Circonspection* (repris dans *Jadis et Naguère : Jadis, Sonnets et autres vers,* p. 329). Ce dernier, à une enquête structurale, propose l'arbre, l'obscurité, le hibou et l'impression d'ensemble. Mais le hibou ne chante pas (le seul son y est celui de la brise) et l'eau est absente. Si chacun pourra ici décider ou non d'incorporer *Circonspection,* en parent pauvre, au groupe que nous constituons, le doute n'est plus permis pour *En Sourdine.* Au point qu'on ne peut se défendre de supposer, au moins, qu'*un texte cherchait à s'écrire qui serait enfin venu accomplir l'exigence structurale* : par rapport à *Circonspection, En Sourdine* serait moins, en somme, un doublet qu'un corrigé. (12)

---

(11) L'oiseau, qu'on y trouvait encore, disparaitra lui-même de la version en prose (et très ultérieurement) du même paysage (*Confessions* II 7, pp. 507-8, reproduite par J. Robichez, éd. Garnier, p. 570).

(12) Pareillement, « La lune blanche ... » serait le corrigé, un mois plus tard, du poème « Le soleil du matin doucement chauffe et dore ... »

Mais qu'enseigne-t-il encore, une fois replacé dans le groupe des six ? Quatre des termes structuraux (eau, oiseau, chant et message) s'y groupent dans les deux dernières strophes. Une nouvelle fois, surtout, l'eau, absente du réel, s'infiltre au niveau de l'imaginaire : c'est la structure qui impose que le gazon, réel, assume dans le texte, par le détour d'une image, la présence impérieuse de l'eau : « Les *ondes* de gazon roux ».

On est surpris de constater enfin à quel point ces remarques s'appliquent à un poème tout différent : « Dans l'interminable / Ennui de la plaine ... ». Ici encore, la structure n'occupe qu'un fragment et elle y est, de plus, coupée par la reprise (assez mécanique) d'une strophe précédente : elle est donc plus difficile à percevoir que dans les autres cas (et l'on a d'ailleurs hésité à l'incorporer à l'ensemble). Mais si l'on supprime la strophe reprise, autrement dit si l'on revient aux opérations créatrices qui ont précédé l'agencement définitif du texte, on trouve ceci :

« Comme des nuées	*Corneille poussive*
Flottent gris les *chênes*	Et vous, les loups maigres,
Des *forêts* prochaines	Par ces bises aigres
Parmi les buées.	*Quoi donc vous arrive* ?

C'est à dire, en huit petits vers, cinq des six termes de la structure (soulignés ici), dont seul un autre (l'obscurité) est assuré par le contexte (« Sans lueur aucune »). Or il est clair, ici encore, que l'eau est au figuré. Les chênes flottent sur fond de « buées » et « comme des nuées ». Si l'impression rappelle les deux premiers vers de « L'ombre des arbres ... », elle ne peut être, comme elle, rapportée au réel. Il devient donc encore évident qu'une impulsion sans doute inconsciente a commandé à Verlaine de choisir, parmi les images possibles, celle-là même qui manquait au réseau qui s'irradiait dans son texte : l'eau. Voilà pourquoi, profondément, les chênes « Flottent ». C'est donc sur le même terme, l'eau, que porte pour la troisième fois l'opération : comme s'il était à la fois le plus impérieux et le plus difficile à assumer ; bref, le plus refoulé.

3. 3) Le texte en résonance : « L'ombre des arbres ... ».

La dernière des *Ariettes oubliées,* « L'ombre des arbres dans la rivière embrumée ... » a déjà reçu ici, à l'occasion de l'origine de la structure, un premier commentaire. Au niveau plus textuel qui est désormais le nôtre, elle trouverait facilement sa place à côté du *Rossignol* et de « La lune blanche ... » dans le groupe des textes où la structure se propose à découvert, et, sur un autre plan, avec les poèmes où elle assume pratiquement tout le texte. Mais elle nous semble porter aussi une leçon de procédure poétique si curieuse et (toujours dans l'optique d'une structure) si nouvelle dans cette étude qu'elle mérite une place à part.

1) Le poème est précédé d'un épigraphe, empruntée à Cyrano de Bergerac, et relativement longue. C'est d'elle qu'il faut partir. On s'en convaincra aisément : l'épigraphe, déjà assez complexe en elle-

même, épouse ici son poème beaucoup plus étroitement qu'elle ne le fait d'habitude. Il est donc difficile d'imaginer que le poème fût écrit d'abord pour lui-même et qu'il ait seulement trouvé par la suite (et nécessairement, ici, dans un laps de temps très court) une épigraphe aussi miraculeusement appropriée. Combien plus vraisemblable l'hypothèse inverse : le poème fut écrit *en réponse à l'épigraphe*, lue d'abord sans intention précise.

2) Fondée comme elle l'est jusqu'ici sur l'étroitesse et la complexité de rapport qui unissent l'épigraphe au poème, la force de l'hypothèse n'est encore, en somme, que de nature quantitative, et, à ce titre, vaudrait pour tout contenu. Mais elle prend une nouvelle nuance, qualitative celle-là, sitôt que l'on considère quels sont précisément les contenus communs aux deux systèmes (épigraphe et poème) : arbre/oiseau/rivière. Qu'est-ce, constate-t-on immédiatement, sinon des éléments du réseau de base des six textes que nous réunissons ? L'hypothèse de création devient dès lors presque évidente, et se formule ainsi : lorsque le texte de Cyrano est lu par Verlaine, *il entre chez lui en résonance avec un réseau personnel, et c'est cette résonance qui inspire l'écriture d'un poème.* (Ainsi, de plus s'enrichit, par rapport à l'ensemble de nos six textes, le statut propre de « L'ombre des arbres ... » : il est le seul dans ce cas).

Cette précision peut même recevoir encore une autre dimension et inspirer un rapprochement particulièrement attachant et inattendu. Si l'on admet comme hautement vraisemblable une autre hypothèse (celle-ci déjà passablement reçue par la critique), que l'épigraphe de Cyrano, comme, telle autre d'une ariette précédente (celle de Favart), a été indiquée à Verlaine par Rimbaud, l'ensemble du processus doit désormais se lire ainsi : Cyrano, lu par Rimbaud, mis sous les yeux de Verlaine, rencontre en lui un réseau essentiel (arbre/oiseau/rivière/sens) et l'amène à écrire un texte (« L'ombre des arbres ... »). Or le hasard (ou, si l'on préfère, une certaine forme d'obstination critique !) veut que ce processus évoque irrésistiblement à l'auteur de la présente communication celui qu'il mettait en évidence, dans le même cadre d'un colloque d'agrégation, en 1978, à propos de Musset. Qu'on lui permette de le rappeler. Dans toute la production de Musset, peut, selon lui, se déceler souvent l'action d'un schème très précis et qui se formule aisément : lorsqu'un homme utilise quelqu'un (homme ou femme) pour parvenir à une femme, il commet une faute et en est immédiatement puni, par le malheur ou même la mort : ainsi s'expliquent (sans parler d'autres cas mineurs) des œuvres aussi importantes que *Les caprices de Marianne, Fantaisio, Lorenzaccio, On ne badine pas avec l'amour* et *Le Chandelier*. Or cette structure recoupait étroitement chez Musset la première expérience amoureuse qu'il nous ait transmise : ne fut-il pas utilisé comme chandelier par sa première amante ? Dans cet ensemble, *Le Chandelier*, en 1835, marquait donc à la fois la première occasion où il proposait de la situation initiale une expression littéraire qui en fût aussi proche ; où, de plus, il donnait la victoire à la victime. D'où une sorte de prise de conscience et de libération ; mieux, après cette date, un désamorçage de la structure qui est devenue, de fait, inoffensive et a permis, enfin, des dénouements heureux : ainsi, par exemple, dans *Carmosine*.

Certes, dans le principe même d'une superposition de réseaux, les cas que nous avions été amenés à commenter chez Musset peuvent aujourd'hui évoquer nos poèmes de Verlaine ; ils ne justifieraient guère pour autant, jusqu'ici, ce détour par l'auteur du *Chandelier*, si l'un d'entre eux, *de plus,* ne recoupait aussi précisément que « L'ombre des arbres ... », le processus, désormais identifié, et particulièrement complexe, d'un texte transmis par autrui, lequel, par simple hasard, entre chez le lecteur en résonance avec un réseau inconscient et déclenche un nouveau texte qui, secrètement, vient l'exprimer. Et cet exemple, chez Musset, est loin d'être, comme chez Verlaine, un court poème parmi d'autres, mais bien une œuvre majeure : *Lorenzaccio*. Sa genèse apparaît dès lors parfaitement semblable à celle de « L'ombre des arbres ... » Dans la mesure même où les œuvres sont totalement différentes, on se plaira ici à détailler rapidement l'étrange mais logique similitude de leur genèse, et en accusant leur parallélisme. Voici donc, il y a longtemps, qu'un texte s'écrit (dans le cas de Verlaine, Cyrano ; dans le cas de Musset, un chroniqueur de la Renaissance italienne, Varchi). Voici plus tard, au XIXème siècle, qu'un écrivain français lit cet ancien texte et le met sous les yeux de l'autre écrivain français avec lequel il se trouve alors amoureusement lié (Rimbaud met sous les yeux de son petit ami Verlaine le texte de Cyrano ; Sand tire une « scène historique » du texte de Varchi, qui tombe ainsi sous les yeux de son amant, Musset). Or, dans les deux cas, le texte ainsi transmis se trouve pareillement, chez le second lecteur, entrer en résonance avec un réseau fortement chargé : lorsque Musset lit chez Sand que le Duc Alexandre demande à Lorenzo de Médicis de lui ménager une nuit avec sa tante, et que Lorenzo en profite pour le tuer, cela rejoint exactement chez Musset son schème fondamental (lorsqu'un homme utilise quelqu'un pour atteindre une femme, il commet une faute et en est châtié) ; chez Cyrano, de même, l'ensemble arbre/oiseau/rivière recoupe pour son lecteur Verlaine le schème fondamental qui lui a déjà inspiré quatre ou cinq textes. Une œuvre, enfin, en devient la résultante : *Lorenzaccio*, « L'ombre des arbres ... » Dernière et curieuse similitude : sans y être le moins du monde astreints, Musset et Verlaine affichent pareillement le texte initiateur en exergue de leur œuvre : Musset reproduit en italien, sous forme de texte liminaire à la première édition de *Lorenzaccio,* en 1834 (cf. éd. de La Pléiade pp. 205-10), le passage de Varchi qui narre l'entremise d'amour et son châtiment ; Verlaine reproduit en épigraphe de son poème le texte de Cyrano.

J. Beauverd

L'EXPRESSION DU « RIEN » DANS LES *ROMANCES SANS PAROLES*

> « Qui connaît bien le cœur de la beauté
> Et sa discrétion, et sa timidité,
> Sait que, sur ses lèvres de rose,
> Rien veut dire beaucoup de chose. »

Dus à Charles-Albert Desmoutier, poète bien oublié de la fin du XVIIIe siècle, bien qu'il fût descendant par son père de Racine et par sa mère de La Fontaine, ces quatre vers que nous avons choisis en exergue nous ont paru convenir parfaitement à un propos quelque peu sybillin qui aurait pu tout aussi bien être introduit par un rappel d'histoire littéraire, à savoir que les *Romances sans paroles* avaient pour la plupart été écrites en même temps que le « phameux » *Art poétique,* primitivement destiné à *Cellulairement.* C'eût été l'occasion de rapprocher systématiquement, donc arbitrairement, les deux textes pour démontrer, au prix de quelques acrobaties, que l'un était l'application de l'autre. Le « rien qui pèse ou qui pose » eût alors été l'embrayeur et tout était dit ou presque, à condition de ne point perdre de vue, précisément, que ce TOUT n'était que l'expression du RIEN... à moins que RIEN ne fût l'expression de TOUT ! Mais c'était si simple, presque si évident, que nous avons préféré chercher d'autres voies d'accès et nous interroger sur quelques mots-clefs du recueil, mis en relief par leur place même et aller voir si les définitions de ces mots, si aveuglants qu'on ne les voit presque plus, n'apporteraient pas quelques informations préalables ; nous avons consulté successivement le *Grand Larousse du XIXe siècle,* toujours inépuisable, le *Littré,* le *Larousse du XXe siècle* et le *Robert,* après avoir épinglé, dans la table qu'on ne saurait dire des matières, ces mots qu'on ne choisissait pas, puisqu'ils étaient comme *imposés* par Verlaine et qui étaient mots de musicien ou de peintre bien davantage que de poète ou d'écrivain, Romances sans Paroles, Ariettes, Paysages, Aquarelles, Fresques, ne retenant les titres anglais que comme des sortes de balisages, au même titre que Bruxelles, ou Charleroi, des chemins sinueux qui les avaient inspirés.

Le titre même de *Romances sans paroles* est une véritable programmation, moins parce que Mendelssohn l'avait ulitisé que parce que le terme appartient en soi au vocabulaire musical pour désigner un « morceau de musique instrumentale d'un caractère poétique », selon le *Larousse du XXe siècle* qui signale de la sorte, sans le préciser davantage, ce mariage musique-poésie sur lequel nous aurons à revenir, de même que sur le *SANS* qui pourrait bien être , déjà, une expression du RIEN ! Il y a là comme une extension signifiante de *Romance* dont il est nécessaire de rappeler les diverses définitions proposées :

« Aujourd'hui, chanson sur un sujet *tendre* et *sentimental*. Musique *(car la distinction est faite ici)* : *Petit* morceau de chant ou de musique instrumentale d'un caractère *naïf* et *gracieux*. » (*Grand Larousse universel*, 1876).

Littré insiste sur le carcatère « *naïf* et *plaintif* » du genre.

Pour le *Larousse du XXe siècle*, premier « aggiornamento » du *Grand Larousse*, soixante ans plus tard, la romance — et il reprend La-harpe —, serait une « chanson sur un sujet *tendre* ou *touchant* : la romance n'est qu'une élégie chantée. »

Robert, qui pense peut-être à la fois à Mendelssohn et à Verlaine, résume les deux acceptions, littérature-musique, tout en distinguant :

Hist. litt : « Pièce poétique *simple,* assez populaire, sur un sujet *sentimental* et « *attendrissant* » (Marmontel), musique sur laquelle une telle pièce est chantée. »

Mus. : « Chant d'amour *sans élément dramatique* (à la différence de la ballade. »

Tendre, sentimental, petit, naïf, gracieux, plaintif, touchant, simple, attendrissant, autant de tapinoses, ou, si l'on préfère, d'euphémismes, qui ne sont pas loin (litote !) de se rapprocher du rien !

Même constatation pour Ariette, gentille ariette, qui « tient le milieu entre la romance et la chanson », dit le *Grand Larousse,* qui s'amuse en outre à proposer une série d'épithètes pouvant convenir à ce gracieux hybride : « Agréable, jolie, charmante, délicieuse, légère, vive, gaie, joyeuse, enjouée, sémillante, sautillante, triste, tendre, touchante, attendrissante. » La fonction phatique fonctionne à plein, si l'on admet qu'elle consiste à parler pour ne rien dire !

Le *Larousse du XXe siècle,* plus nuancé, s'en tient néanmoins aux approximations : « Petit air de proportions réduites, qui se rapproche du cadre de la romance, tantôt tendre et expressif, tantôt gai, vif et enjoué. Paroles chantées sur cet air » et le Robert se contente d'y voir un « air léger qui s'adapte à des paroles. » La pâte de guimauve n'est pas loin, dont le mérite essentiel est de n'avoir goût de rien !

Les définitions du mot paysage n'apportent pas grand chose. Le *Larousse du XXe,* comme son prédécesseur, n'y voit qu'une « étendue de pays qui offre une vue d'ensemble » ou un « tableau, dessin qui repré-sente un site pittoresque ». Le *Robert,* de son côté, dissimule son embar-ras en se contentant d'une phrase, imprécise à souhait, tirée de *l'Histoire de l'art* de Réau : « Tableau représentant une certaine étendue de « pays » où la nature tient le premier rôle et où les figures d'hommes ou d'animaux ne sont que des accessoires. » Gros soldats et plus grosses bonnes pourraient bien, à ce compte, n'être que l'accessoire obligé des bons chevaux de bois, ce qui n'a rien d'impossible dans cet univers volontairement dilué jusqu'à l'inexistence, dilué, précisément comme la fresque qui définirait si bien l'écriture verlainienne, si l'on en croit le Larousse du XXe siècle : « Manière de peindre avec des couleurs détrempées dans de l'eau de chaux, sur une muraille fraîchement enduite ». Mais la fresque excluait les retouches, alors que Verlaine veut donner à croire, par ses négligences étudiées qu'il exclut les corrections ... Reste, dans notre mini-corpus l'Aquarelle dont les définitions viennent confirmer celles que nous avons rappelées antérieurement. Si les deux éditions du Larousse qui nous servent de référence sont d'accord pour parler de couleurs transparentes et délayées dans de l'eau, le Larousse du XXe siècle se montre un peu plus explicite et précise que « la diversité des teintes résulte de la quantité de couleurs dont l'eau est chargée », ce qui fait une fois de plus penser au « rien qui pèse ou qui pose. » ! Est-il tout à fait inutile de se souvenir que l'aquarelle fut mise en honneur en Angleterre et que, hasard ou science dissimulée, tous les titres anglais, à l'exception de Birds in the night, sont regroupés sous la rubrique Aquarelles, question dont la minime importance ne vous importerait pas si elle ne mettait en cause l'innocence ingénue de Verlaine ?

Choisis par nous avec quelque arrière-pensée, même involontaire, de démonstration, les mots sur lesquels nous nous sommes attardés n'auraient pas eu de sens, mais ils ont bien été mis sous le projecteur par le poète et, dès lors, il était permis de déceler une intention, d'autant plus discutable que de nombreuses hésitations ont précédé la mise en ordre définitive du recueil et la démarche est claire : il s'agissait de transformer l'être en non-être et d'obtenir, par un jeu savant d'effets, qui n'étaient pas immédiatement évidents, que tout ce qui aurait pu être fût réduit à une approximation, à une esquisse, à un estompage, ce qui a permis d'écrire à Antoine Adam : « Ces images, Verlaine ne les construit pas, et, parce qu'il n'ose pas encore supprimer le verbe dans ses phrases, il emploie avec insistance le plus insignifiant, le plus incolore, le plus inactif de tous les verbes, le verbe être. La langue s'allège et se dépouille. Elle fait fi des exigences de la grammaire pour aboutir à l'extrême humilité, à la pauvreté la plus proche du silence. » (1)

Insensiblement, s'affirme, peut-on dire, ce rien tout au long des Romances à travers des expressions comme « sans lueur aucune (Ariette VIII), » des petits arbres sans cimes » et « apparences d'automne », ainsi qu' « allée sans fin », dans Bruxelles, « navire démâté » et « perdant l'espoir de nul confesseur », dans Birds in the night, le « vous n'avez rien compris à ma simplicité » de Child wife ou encore « sans nuls espoirs » de Streets II, pour ne citer que quelques exemples de ces évanouissements progressifs, précurseurs de la chute finale dans un néant de brume où ne se distinguent plus que des ombres.

Or, plus on s'accroche à ce texte, qui voudrait faire croire à sa spontanéité et plus on est obligé de constater la présence d'un édifice savant dont chaque élément, tant dans le dire que dans le dit, a été rigoureusement choisi en vue d'une cohérence propre et, à travers ce « fog », ce brouillard artificiel et provoqué comme par une drogue des mots, se dessine une sorte de paysage fantasmatique, mais réel, laissé à deviner et dangereusement semé de chausse-trapes, où Verlaine a failli lui-même

_____

(1) A. Adam, Verlaine, l'homme et l'œuvre, Hatier-Boivin, 1953, p. 95.

tomber, si l'on en croit ses hésitations au départ. La seule certitude pour lui était qu'il serait bien question de voyage, puisque, le 22 septembre 1872, il annonçait à Emile Blémont quelques vers pour une série qu'il nommerait *De Charleroi à Londres*. Le 1er octobre, soit neuf jours plus tard, il annonce au même correspondant *Romances sans paroles*, « quelque chose comme *La Bonne Chanson* retournée, mais combien tendrement ! tout caresses et *doux* reproches. » Quatre jours encore s'écoulent et il avoue, toujours à Emile Blémont qu' « une dizaine de petits poèmes pourraient (...) se dénommer : *Mauvaise Chanson retournée* » et les hésitations se poursuivront jusqu'à la parution. Mais il serait, je crois, imprudent, de conclure avec Claude Cuénot que le recueil est hétérogène, car le « plan » est, sous les ambiguïtés multiples, d'une logique sans faille, à condition toutefois d'admettre comme hypothèse de travail qu'il s'agit d'une histoire d'amour où le nom de l'aimé — et aussi, souvent — de l'amant est dissimulé, et que cette/ces histoire/histoires d'amour, tourne/tournent en rond comme ces chevaux de bois dont le manège tient une place privilégiée dans la foire populaire de Bruxelles, elle-même au centre de recueil, ce qui atteste son exceptionnelle importance.

Les *Ariettes,* de I à VII multiplient les déclarations d'amour attendries qui, parfois, rappellent *la Bonne Chanson*, à l'exception de l'*Ariette* VI, « C'est le chien de Jean de Nivelle... » qui, par l'harmonie plaintive de liminaire, annonce — peut-être ! — le « tournez, tournez, bons chevaux de bois », tout comme les Ariettes VIII et IX forment transition entre *Ariettes oubliées* et *Paysages belges*. Les amours brisées vont éclater en folie de la fugue, en fascination de la route, de tous les chemins de fer, de terre ou de mer, à l'exception de *Birds in the night,* qui n'a rien à voir avec les paysages ni avec la Belgique, mais annonce les *Aquarelles,* autre fugue, autres paysages, autre pays, mais, essentiellement, ramène le voyageur à son point de départ, les idylles rompues, les amours décomposées...

Se repose alors la question sans importance à nos yeux : amours de qui avec qui ?

Pour le lecteur heureux qui ne connaîtrait rien de la vie de Verlaine et qui ne risquerait pas d'apercevoir en ombres chinoises des images trop souvent imposées, il n'y aurait pas de Mathilde possible, pas d'Arthur aux semelles de vent, pas d'ange, homme ou femme, aux ailes immaculées ou flétries, il n'y aurait rien qu'un poète aux prises avec un moi qui le fuit et se fuit et ne peut (ou ne veut) s'exprimer qu'à travers la musique des mots et la peinture des sons. Histoire, paysages, personnages disparaissent et l'homme ne traduit plus ses brisures qu'en cassant les rythmes accoutumés, en endormant pour donner à croire — y ferait-on attention s'il n'y avait *l'Art poétique* ? — que l'impair est pair ou le pair impair et en se soumettant aux disciplines les plus dures derrière l'illusion de la facilité, expert en « trucs », donc truquages que Huysmans, dans *A Rebours,* analyse, à partir de *la Bonne Chanson,* des *Fêtes galantes,* de *Romances sans paroles* et de *Sagesse,* qui venait de paraître :

« Muni de rimes obtenues par des temps de verbes, quelquefois même par de longs adverbes précédés d'un monosyllabe d'où ils tombaient comme du rebord d'une pierre, en une cascade pesante d'eau, son vers, coupé par d'invraisemblables césures, devenait souvent singulièrement abstrus, avec ses ellipses audacieuses et ses étranges incorrections qui n'étaient point cependant sans grâce.

Maniant mieux que pas un la métrique, il avait tenté de rajeunir les poèmes à forme fixe ; le sonnet qu'il retournait, la queue en l'air, de même que certains poissons Japonais en terre polychrome qui posent sur leur socle, les ouïes en bas ; ou bien il le dépravait, en n'accouplant que des rimes masculines pour lesquelles il semblait éprouver une affection ; il avait également et souvent usé de forme bizarre, d'une strophe de trois vers dont le médian restait privé de rime, et d'un tercet, monorime, suivi d'un unique vers, jeté en guise de refrain et se faisant écho avec lui-même tels que les *Streets* : « Dansons la Gigue » ; il avait employé d'autres rythmes encore où le timbre presque effacé ne s'entendait plus que dans des strophes lointaines, comme un son éteint de cloche. »

Huysmans, sans doute, en révélant à un public qui l'ignorait encore, Verlaine, faisait à son tour du Verlaine, mais il démontait, en fait, les mécanismes et dénonçait — en les saluant — les trompe l'œil métriques, si précisément ajustés, qu'on se laisse prendre à cette variété hallucinante au point de lui reconstruire une sorte d'unité. L'oreille est prise, enveloppée dans cette musique, si bien que seule la sensation demeure et qu'un effort s'impose pour s'apercevoir que chaque pièce du puzzle est, à une ou deux exceptions près, différente de sa voisine, l'unité dont nous parlions venant paradoxalement de la diversité. Le monstre — au sens étymologique — est devenu Beauté, car c'est bien d'un monstre qu'il s'agit : comme dans un monument ou un tableau baroque, toute symétrie est bannie, rupture ouverte avec le classicisme qui repose et se repose sur la symétrie sans surprise et plus encore, peut-être, avec le Parnasse, dont le carcan étouffait Verlaine. Non seulement le recueil est divisé en trois parties, chiffre impair et nombre sacré, mais on dénombre vingt et un poèmes, autre chiffre impair et, comme il eût été trop simple de diviser vingt-et-un par trois, le poète décompose, pour déconcerter, en 9 + 6 + 6.

Chaque poème, à son tour, possède son autonomie métrique : dans *Ariettes oubliées,* I est en heptasyllabes, II en ennéasyllabes, III en hexasyllabes, IV en hendécasyllabes, V en décasyllabes, plus un octosyllabe (avec, comme souvent d'ailleurs, quelques ambiguïtés, selon qu'il y a diérèse ou non dans *piano,* au vers 1, *luit,* au vers 2, *bruit,* au vers 3...), IV en octosyllabes, ainsi que VII, VIII en pentasyllabes et IX en alexandrins alternés avec des heptasyllabes, soit 4 poèmes en vers impairs, 4 en pairs, plus, pour marquer la rupture, 1 en pairs/impairs alternés. *Paysages belges* présente moins de variété et, surtout, respecte une certaine symétrie : sur 6 poèmes, 2 sont en vers impairs et 4 en vers pairs, *Walcourt* et *Charleroi* en tétrasyllabes, *Bruxelles* I en heptasyllabes et pentasyllabes, *Bruxelles* II en ennéasyllabes, *Malines* en octosyllabes et *Birds in the night* en décasyllabes. Dans *Aquarelles,* enfin, nette suprématie du pair sur l'impair (5 contre 1), avec la même suprématie dans chacun des poèmes : *Green* en alexandrins, *Spleen* en octosyllabes, *Streets I* en tétrasyllabes/octosyllabes, *Streets II* en octosyllabes, *Child wife* en alexandrins/hexasyllabes, *A poor young shepherd* en pentasyllabes et *Beams* en alexandrins. L'énumération est fastidieuse, mais elle est presque indispensable pour comprendre la dislocation systématique qui, tour à tour, assoupit et éveille, force l'attention et engourdit, antidote aux épithètes narcotiques qui

trompent sur la qualité par leur mièvrerie et leur vague débilitant. Autant
d'épithètes, autant d'expressions du rien ! Un échantillonnage de ces
coups de gomme, ou plutôt d'estompe, suffit à faire comprendre qu'il y a
mise en place d'un système et non impuissance à exprimer la sensation
ou le sentiment autrement que par la fadeur : l'extase est *langoureuse,* le
murmure *frêle* et *frais,* le cri *doux,* le roulis *sourd* et *humble* l'antienne,
dans l'*Ariette I,* le contour *subtil* et le jour *trouble,* le soir *tiède* dans
l'*Ariette II,* le bruit *doux* de la pluie pèse et pleure dans l'*Ariette III,*
sans qu'il y ait, le point d'interrtogation marque du moins l'incertitude,
nulle trahison, cependant que dans les *Ariettes* IV, V, VI, VII, VIII et IX
se poursuit la kyrielle des atténuatifs, des à peu près, des retouches
pudiques qui seraient autant de clichés bêlants s'ils n'étaient, tout au
contraire, la transposition envoûtante de mots sans importance ni signification réelle en sons et en nuances. On nous donne à écouter ou à voir,
plus qu'à lire, à imaginer plus qu'à voir, à sentir plus qu'à imaginer. Certes, rien de cartésien — autre poncif ! — dans les vœux *confus,* la douceur
puérile, le *frais* oubli, le *léger* bruit d'ailes, l'air *charmant, discret, épeuré*
quasiment, le *doux* chant, la rivière *embrumée,* l'air *monotone,* le détail
fin, les cieux *à peine irisés,* ou les *jolis* yeux, ou, pire, le *pauvre* amant et
les yeux *jolis.* Les répétitions sont si peu évitées qu'elles sont assurément
recherchées et cet art suprême de la destruction par la mort douce apparaît de la même façon dans le choix des couleurs, qui ne sont que
nuances ou, elles aussi, approximations, invitations à deviner, à cligner
des yeux pour apercevoir, derrière ces voiles des riens, quelque chose...
Ici encore, les exemples abondent, tous semblables à eux-mêmes : amour
pâle, soir *rose* et *gris,* lumière *obscure* (si différente de l' « obscure clarté »
de Corneille !), chênes *gris,* paysage *blême, verdâtre* et *rose,* ciel, divin
d'être *pâle,* traits *pâlis,* etc... Le *rouge* et le *bleu* de Malines ne sauraient
aveugler, puisqu'ils sont corrigés par la matière qu'ils qualifient, la brique
et l'ardoise qui ne sont respectivement ni vraiment rouge ni vraiment
bleue, mais tendent vers...

   Pour entretenir dans cette incertitude concertée, non content de
laver — presque délaver — l'aquarelle ou de baisser le ton jusqu'au seuil de
l'audible, Verlaine multiplie les interrogations, formulées ou tacites, les
affirmations, niées dès qu'avancées, les exclamations, les parenthèses,
usant et abusant du langage oral et familier avec l'interlocuteur inconnu,
sans qu'il soit possible toujours de distinguer le monologue du dialogue...
Regrets ou jouissance masochiste ?
   Dans son introduction aux *Romances* de l'édition de la Pléiade,
Jacques Borel notait, à propos des deux quatrains de *Charleroi* :

               On sent donc quoi ?
               Des gares tonnent,
               Des yeux s'étonnent,
               Où Charleroi ?

               Parfums sinsitres !
               Qu'est-ce que c'est ?
               Quoi bruissait
               Comme des sistres ?

ce qu'il appelle fort justement le « bouleversement de l'architecture » et « la confusion des éléments sensoriels » et il ajoutait :

« Il n'est pas jusqu'à ce côté effaré si propre à Verlaine que l'on ne reconnaisse ici, dans cette interrogation sans réponse où perce et grandit une secrète, une incontrôlable angoisse ». Rien n'est plus vrai, mais il serait difficile de nier que la rupture syntaxique de l'interrogation — et l'interrogation n'est pas seule en cause dans cette rupture — masque une ruse : en multipliant les *disjecta membra,* Verlaine joue avec l'écriture comme s'il s'était proposé de la déconstruire, bien avant les surréalistes, et il rejette, avec le *dire,* le *dit,* de même qu'en accumulant les réduplications du type

> « O triste, triste était mon âme
>   A cause, à cause d'une femme »

ou

> « Je souffrirai, d'une âme résolue
>   Oui, je souffrirai, car je vous aimais !
>   Mais je souffrirai comme un bon soldat »

> « Vous n'avez rien compris à ma simplicité,
>   Rien, ô ma pauvre enfant ! »,

il soûle, avec le raffinement un peu pervers d'une science niée un lecteur déjà grisé par la course fausse des chevaux de bois, rivés au plancher du manège sans fin. Comparaisons usées et métaphores sans surprise de la vieille rhétorique provoquent l'anesthésie sécurisante et les voyageurs du bout de la nuit n'arriveront jamais au terme du voyage dans ces trains qui ne vont nulle part et brûlent des gares aux noms brouillés. Mais le vieux Silène sourit, car il sait qu'avec ses douleurs engourdies il a créé la beauté.

Pierre Cogny

DE LA MUSIQUE AVANT TOUTE CHOSE

Le parler des Muses, qui est grec, apparente la poésie à la musique. L'aède entonne les poèmes qu'il compose ; l'ode, l'hymne sont à la fois poèmes et chants. Cependant, dans l'histoire de notre culture, la poésie ne tarde pas à revendiquer une autonomie dont la musique, capable de se passer du concours de la voix humaine, a toujours disposé. Elle devient un art du langage. Va-t-il lui suffire, pour consacrer son émancipation, de combiner les tours de la rhétorique ? La logique, la logique classique, le voudrait. Mais la poésie, qui a « ses raisons », refuse d'imiter l'éloquence et la littérature elle-même. Fière de son passé comme de tout ce qui lui appartient en propre, elle invoque l'antique alliance qu'elle avait rompue et toutes les métaphores qui en perpétuent le souvenir.

Ces métaphores musicales, Verlaine les cultive plus que ne le fait aucun autre poète. Il n'assimile ses pairs ni, comme Hugo, à des « mages », ni, comme Rimbaud, à des « voyants ». Plutôt que des hommes qui savent ou qui contemplent, ce sont pour lui des hommes qui chantent. Dans le prologue de son premier recueil, les *Poèmes Saturniens,* il salue « le groupe des Chanteurs/Vêtus de blanc » (1), auquel il va se joindre. *La Bonne Chanson* et les *Romances sans paroles* contribuent tout particulièrement à la réputation du nouveau « chanteur ». Il tire du silence des « ariettes oubliées ». Il fredonne des berceuses, des airs de danse échappés du tumulte des ducasses, de vieux refrains qui sont dans toutes les mémoires. Il enregistre les voix de son « arrière-boutique », celle qui lui est « chère » entre toutes, mais d'autres aussi qui lui font mal :

> Voix de l'Orgueil : un cri puissant comme d'un cor.
> . . . .
> Voix de la Haine : cloche en mer, fausse, assourdie
> De neige lente . . . . . . (2)

« Ça sera très musical » déclare-t-il en mai 1873 à son ami Lepelletier, pour vanter le « système » qu'il élabore et qui doit révéler un poète

---

(1) Paul Verlaine, *Oeuvres complètes,* éd. J. Borel et H. de Bouillane de Lacoste, Paris, Le Club du meilleur livre, 1959, 2 vol. ; t. I, p. 88. Cette incomparable édition servira de référence, chaque fois qu'un texte de Verlaine sera cité.
(2) *Sagesse,* I, 19 ; *O.C.*, t. I, p. 304.

à nul autre pareil (3). Il ne peut mieux dire et, de fait, il ne dira pas mieux dans le vers majeur de son « Art poétique » :

De la musique avant toute chose (4).

Mais quelle est au juste la pratique de la poésie qui justifie ces formules, ces manières de dire, ces titres prometteurs ? On hésite à la qualifier elle-même de musicale. Les mots que le poète fait le mieux « chanter » ne sont jamais que des mots, des signes linguistiques. Aucune métaphore n'a le pouvoir de les changer en notes de la gamme.

Verlaine lui-même n'est pas un praticien de la musique, un musicien manqué, un nouvel Ingres. Il ne joue d'aucun instrument. Le solfège n'est pas son fort, l'harmonie encore moins. Il s'intéresse néanmoins à la musique non codée, mais audible, que produisent les sons et les rythmes du langage parlé. L'attention qu'il lui prête le rapproche incontestablement des musiciens. Il recherche leur présence et les traite en complices. Il gagne l'amitié de Charles de Sivry, dont il épouse la demi-sœur :

Artiste, toi, jusqu'au fantastique,
Poète, moi, jusqu'à la bêtise,
Nous voilà, la barbe à moitié grise,
Moi fou de vers et toi de musique (5).

Il revit, grisonnant, « les frais instants de paix profonde » partagés avec Emmanuel Chabrier. Il conserve et il célèbre le souvenir d'une entente à demi-mot, mais aussi à demi-note :

Chabrier, nous faisions, un ami cher et moi,
Des paroles pour vous qui leur donniez des ailes,
Et tous trois frémissions quand, pour bénir nos zèles,
Passait l'*Ecce Deus* et le Je ne sais quoi.

Chez ma mère, charmante et divinement bonne,
Votre génie improvisait au piano
Et c'était tout autour comme un brûlant anneau
De sympathie et d'aise aimable qui rayonne (6).

Si Verlaine sait lancer les paroles opportunes qui délient les doigts de Chabrier, Fauré et Debussy écrivent, de leur côté, pour accompagner quelques uns de ses plus beaux poèmes, quelques unes de leurs plus belles mélodies. Quand un Gérard Souzay interprète *Clair de Lune* ou *En sourdine*, il devient impossible de discerner dans ces chefs d'œuvre doublement accomplis la marque du poète et celle du musicien. Comment douter

---

(3) Lettre à Lepelletier, datée du 16 mai 1873 ; *O.C.*, t. I, p. 1035.
(4) « Art poétique », in *Jadis et naguère* , *O.C.*, t. I, p. 513.
(5) *Dédicaces*, 29 : « A Charles de Sivry » ; *O.C.*, t. II, p. 135.
(6) *Op. cit.*, 33 : « A Emmanuel Chabrier » ; *O.C.*, t. II, p. 138.

que l'entrelacs des deux écritures ne constitue en fait proprement musical ? La métaphore paraît s'effacer au bénéfice d'une évidence que l'oreille saisit.

*
* *

L'accord ainsi perçu consacre, du côté de Verlaine, la réussite d'un certain pari esthétique posé depuis longtemps et fermement tenu. L'apprenti-chanteur des Poèmes saturniens, qui a recueilli l'héritage baudelairien, interdit déjà à son lyrisme les facilités de la description, du récit ou de la confidence. Il considère que la poésie dispose de ressources propres, les seules qu'il lui appartient d'exploiter. Il cite avec vénération, un an avant de publier son premier recueil, la profession de foi insérée par Baudelaire dans son examen de l'art poétique de Poe : « La Poésie, pour peu qu'on veuille descendre en soi-même, interroger son âme, rappeler ses souvenirs d'enthousiasme, n'a d'autre but qu'elle-même, elle ne peut en avoir d'autres... ». Il raille, au contraire, les « passionnistes », ces Boétiens qui prennent en considération, comme Barbey d'Aurevilly, l'argument « humain » d'un poème (7). Il se flatte de devenir lui-même un pur poète en préférant la musicalité du vers à l'expression d'aucune réalité, subjective ou objective. La poésie qu'il élabore avec le souci de la démarquer de la prose, qui désigne, expose ou explique, se définit par les éléments constitutifs de toute prosodie : rimes, rythmes, consonances ou dissonances, plus encore que par les images, dont la prose dispose aussi bien qu'elle. D'où les mots, faits pour l'oreille, qui retentissent dans l'épilogue des Poèmes Saturniens :

> Et toi, Vers qui tintais, et toi, Rime sonore,
> Et vous, Rythmes chanteurs, ...
> Il faut nous séparer. Jusqu'au jour plus propice
> Où nous réunira l'Art, notre maître, adieu,
> Adieu, doux compagnons, adieu, charmants complices ! (8)

Dans l'attente d'une telle réunion, le jeune poète ne communie plus aussi intimement avec son premier maître. Attaché au principe de l'harmonie universelle, initié au déchiffrement des « correspondances », Baudelaire attribue à l'image le plus grand pouvoir poétique. Verlaine, le sceptique Verlaine, aussi étranger à la pensée symbolique qu'au mysticisme, se nourrit des sensations que la parole excite immédiatement, et qui sont auditives. Il les observe aussi, les enregistre et les combine à sa manière, si bien que sa poésie, selon la définition qu'il en proposera dans Un mot sur la rime (1888), « n'existe en somme que par l'harmonie » (9).

---

(7) « Charles Baudelaire », article publié dans L'Art le 16 novembre 1865 ; O.C., t. I, p. 53-68.
(8) Poèmes Saturniens, « Epilogue », 2 ; O.C., t. I, p. 131.
(9) « Un mot sur la rime », article publié dans Le Décadent, 1er-15 janvier 1888 ; O.C., t. I, p. 898.

Dans la mesure où il recherche « l'harmonie ... avant toute chose »,
Verlaine se rapproche de Mallarmé, ou du moins de Mallarmé tel qu'il se
l'imagine, « pur poète » qui tient la « clarté » pour une « grâce secon-
daire » et qui la néglige pourvu que son vers soit « nombreux » et « musical » (10). Cependant il ne songe pas à l'imiter. Il lui suffit de cultiver son
propre instinct pour que la musique, dans son œuvre, supplante peu à peu
le discours. Pourquoi, en effet, devient-il poète ? Non point, comme
romantique, pour épancher un sentiment identifiable, qui lui imposerait
un système verbal, ou un certain ton, mais pour « enchanter », en la
« chantant », comme dirait Du Bellay, son inconstance, son inconsistance
intime, le vide qu'il abrite, le néant de son être. Il nomme « ennui » (11)
ou il qualifie de « saturnienne » l'expérience qu'il refait, après l'Ecclé-
siaste, de la vanité des vanités humaines :

> Solitude du cœur dans le vide de l'âme (12).

S'il chante, c'est donc pour ne rien dire. S'il chante avec des mots,
c'est en respectant le moins qu'il peut l'autorité dont le bon usage les a
investis, la signification univoque qui leur a été affectée. L' « ennui »
lui interdit le jeu du lyrisme, la comédie de la sincérité poétique. Il l'expose à l'instabilité des émois et des impressions, à tous les vents de l'hu-
meur momentanée. Seule, une langue livrée à ses sonorités et à ses rythmes
épousera le mouvement perpétuel, la fuite du moi « saturnien », la durée
dans laquelle il se dissout. Qu'on prenne garde aux vers qui développent la
trop fameuse maxime : « De la musique avant toute chose ». Ils font rimer
les mots qui disent l'indicible évanouissement d'une âme « en peine et de
passage » :

> Que ton vers soit la chose envolée
> Qu'on sent qui fuit d'une âme en allée
> Vers d'autres cieux, à d'autres amours (13).

Oui, elle est déjà « envolée », cette « chose » que le vers épouse plutôt qu'il ne la saisit, et qui n'est rien d'autre que l'élan de son envol. Elle
s'inscrit sur la ligne continue d'une phrase que le retour de la rime ne
morcèle pas, parce qu'elle est soumise aussi et plus encore à son propre
rythme. Ainsi naît une mélodie. Il reste à former la « voix » qui se pliera
le mieux à son déroulement. Verlaine travaille la sienne avec le souci de
la dépouiller de ses accents familiers, que conforterait le prétendu cri du
cœur. Lui appartient-elle toujours, la voix sans nom, sinon sans timbre,
qui interprète les *Romances sans paroles* ?

*
* *

---

(10) *Les poètes maudits*, « Stéphane Mallarmé » ; *O.C.*, t. I, p. 490.
(11) L' « ennui ... cette chose molle, pénétrante, inconsistante comme le brouillard,
comme un mauvais air », *in Louise Leclercq*, I ; *O.C.*, t. I, p. 620-621.
(12) « Bornemouth », *in Amour ; O.C.*, t. I, p. 798.
(13) « Art poétique », *in Jadis et naguère ; O.C.*, t. I, p. 513.

Il ne se fie à aucune règle pour obtenir que son instrument sonne juste. La méfiance qu'il éprouve à l'égard du langage lui interdit précisément de se payer de mots. Il sourit avec indulgence lorsque René Ghil expose, en 1886, sa théorie de l'*Instrumentation poétique* : « ... IÉ, IE et IEU seront pour les violons angoissés ; OU, IOU, UI et OUI pour les flûtes apriines ; AÉ, OÉ et IN pour les harpes rassérénant les cieux ; OI, IO et ON pour les cuivres glorieux ; IA, ÉA, OA, UA, OUA, AN et OUAN pour les orgues hiératiques » (14). Sans doute ne prend-il pas davantage au sérieux le *Sonnet des voyelles,* de Rimbaud. Au lieu de spéculer sur la vertu figurative des sons que le parler articule, il tâche de les enchaîner harmonieusement dans un véritable chant où le sens, sans être censuré (comment le serait-il ?) cesse, c'est le cas de le dire, de donner le ton.

Dans la poésie de cet être de passage, *homo viator,* le mouvement compte plus que tout, et du même coup le rythme, selon lequel les sons se succèdent dans le temps. Bien qu'il ne la confonde nullement avec le rythme, qu'elle ne constitue pas nécessairement, Verlaine juge la mesure indispensable. Il la bat en adoptant une versification régulière, qu'il cherche à rajeunir par l'emploi de mètres rares, mais qu'il ne conteste jamais. Tout poète français devrait, selon lui, accepter cette discipline, dont le premier article est le respect de la rime. Notre langue, en effet, n'en déplaise au poète belge Ban Hasselt, auteur d'*Etudes rythmiques* dont l'astuce n'a pas échappé à Verlaine (15), se prête fort mal à la scansion, sur laquelle se fondait la prosodie des Latins et des Grecs. Seul, le vers régulier peut dissuader une oreille française d'écouter les mots du poème en les séparant les uns des autres et la rendre pleinement sensible à la succession de leur sonorités. D'où l'épigramme que s'attirent les champions du vers libre, dont la réussite n'égale pas la virtuosité :

J'admire l'ambition du Vers Libre
Et moi-même, que fais-je en ce moment
Que d'essayer d'émouvoir l'équilibre
D'un nombre ayant deux rythmes seulement ?

Il est vrai que je reste dans ce nombre
Et dans la rime, un abus que je sais
Combien il pèse et combien il encombre,
Mais indispensable à notre art français,

Autrement muet dans la poésie
Puisque le langage est sourd à l'accent.
Qu'y voulez-vous faire ? Et la fantaisie
Ici perd ses droits : rimer est pressant.

Que l'ambition du Vers Libre hante
De jeunes cerveaux épris de hasards !
C'est l'ardeur d'une illusion touchante.
On ne peut que sourire à leurs écarts (16).

---

(14) *Les hommes d'aujourd'hui,* « René Ghil » ; *O.C.,* t. II, p. 666-672.
(15) D'après une lettre à Blémont, datée du 25 juin 1873 ; *O.C.,* t. I, p. 1048.
(16) *Epigrammes,* 2, II ; *O.C.,* t. II, p. 1033. On lit encore dans *Un mot sur la rime* (1888) : « Rimez faiblement, assonez, si vous voulez, mais rimez et assonez, pas de vers français sans cela. » *O.C.,* t. I, p. 895.

A ces « jeunes cerveaux » Verlaine reproche, non pas de prétendre à la
liberté, mais de mal l'entendre et de la pratiquer étourdiment. Le rythme de
sa propre inspiration, qu'il ne s'agit pas de sacrifier à la stricte application
des règles de la prosodie, est la plus capricieuse qui soit. Mais ses écarts
passeraient précisément inaperçus dans le désordre général du vers libre. Ils
ressortiront, au contraire, si la régularité métrique est maintenue. Tâche
difficile que de superposer sans dommage la mesure et le rythme !
Verlaine relève le défi avec l'audace calculée du funambule qui risque ses
pas à la limite du déséquilibre. Il multiplie les initiatives susceptibles
d'imprimer au vers régulier son *tempo* personnel. Il commence, comme le
ferait un Chopin ou un Lizst convertis à la poésie, par disposer de tout le
clavier de la prosodie. Il se flatte de composer

> Sur tous les tons de tous les modes,
> Ballades, sonnets, stances, odes (17).

On distingue parmi les *Poèmes Saturniens* à la fois des sonnets, des
des quintils, des quatrains et une ritournelle. Les alexandrins alternent,
parfois dans une même pièce, avec les octosyllabes, les heptasyllabes, les
pentasyllabes ou les tétrasyllabes. Cette variété de mètres s'accentue dans
Les Fêtes Galantes. Si elle diminue dans *La Bonne Chanson,* elle atteint
un niveau insurpassable dans les *Romances sans paroles,* où chaque pièce
comporte une versification originale. Elle se tempère dans *Sagesse,* comme
il se doit, mais bien moins qu'on ne s'y attend, puisqu'elle s'y maintient au
niveau atteint dans les *Fêtes Galantes.* Verlaine compte toujours sur de
fréquents changements de la structure du vers, de la strophe ou du poème
pour entretenir la mobilité de sa poésie, qui risquerait de se roidir comme
une danse dont l'air se trouve écrasé sous le poids excessif de la mesure.

La même intention explique la préférence qu'il accorde aux mètres
impairs dont les césures sont moins fixées par l'usage et dont l'instabilité
le fascine tout naturellement. Tandis que le décasyllabe ou l'alexandrin se
prêtent à l'expression du catéchisme provisoire de la seconde partie de
Sagesse, c'est dans le vers boîteux de neuf syllabes que se coule la confidence du poète désaxé des *Romances sans paroles* :

> Et mon âme et mon cœur en délires
> Ne sont plus qu'une espèce d'œil double
> Où tremblote à travers un jour double
> L'ariette, hélas ! de toutes lyres !
>
> O mourir de cette mort seulette
> Qui s'en va, — cher amour qui t'épeures, —
> Balançant jeunes et vieilles heures !
> O mourir de cette escarpolette ! (18)

---

(17) *Dédicaces,* 26 : « A Henri Mercier » ; *O.C.,* t. II, p. 133.
(18) *Romances sans paroles,* « Ariettes oubliées », 2 ; *O.C.,* t. I, p. 266.

L' « impair » introduit comme une hésitation dans le balancement de l'âme indécise. Il fait « trembloter » l'ariette. Il souligne le rythme spontané du chant de « Pauvre Lélian », qui trébuche avec l'hendécasyllabe :

> Il faut, voyez-vous, nous pardonner les choses.
> De cette façon nous serons bien heureuses,
> Et si notre vie a des instants moroses,
> Du moins nous serons, n'est-ce pas ? deux pleureuses (19)

ou qui se traîne avec le vers, tout à fait insolite, de treize pieds dans certain sonnet de *Jadis et Naguère* :

> Ah ! vraiment c'est triste, ah ! vraiment ça finit trop mal.
> Il n'est pas permis d'être à ce point infortuné (20).

La constatation de la *Critique des Poèmes Saturniens* (1890) se vérifie : « J'ai réservé pour les occasions harmoniques ou mélodiques ou analogues... des rythmes inusités, impairs pour la plupart, où la fantaisie fût mieux à l'aise, n'osant employer le mètre sacro-saint qu'aux limpides spéculations, qu'aux énonciations claires, qu'à l'exposition rationnelle des objets, invectives ou paysages » (21). Ce que le vieux poète omet d'ajouter, mais que ses admirateurs se disent, c'est qu'il lui sied bien mieux d'exploiter des « occasions harmoniques » que de se livrer à des « énonciations claires » et que la musique qu'il joue s'accommode plus aisément des « rythmes inusités » que du « mètre sacro-saint », même assoupli ou brisé par le verbe de Hugo.

Comment Verlaine, soucieux de tracer à sa guise la ligne de ses mélodies, malgré la cadence que paraît imposer le retour du vers régulier, ne s'impatienterait-il pas quelquefois du rôle dévolu à la rime ? C'est elle, en effet, plus encore peut-être que le nombre constant des pieds, qui constitue pour l'oreille la régularité de la prosodie. Verlaine redoute à juste titre qu'elle n'altère, par son intervention mécanique, le mouvement caractéristique de chacune de ses compositions. Il la traite donc, dans « Art poétique », avec une sévérité qui deviendra fameuse :

> O qui dira les torts de la Rime ?
> Quel enfant sourd ou quel nègre fou
> Nous a forgé ce bijou d'un sou
> Qui sonne creux et faux sous la lime ? (22)

L'accusée, cependant, si elle a des « torts », ne les a pas tous, ni surtout en tous les cas. Verlaine précise lui-même, tardivement, il est vrai, dans

---

(19) *Op. cit., Ibidem*, 2 ; *O.C.*, t. I, p. 257.
(20) *Jadis et Naguère*, « Sonnet boîteux » ; *O.C.*, t. I, p. 510.
(21) « *Critique des Poèmes Saturniens* », article publié dans *La Revue d'Aujourd'hui*, le 15 mars 1890 ; *O.C.*, t. II, p. 302.
(22) « Art poétique », déjà cité ; *O.C.*, t. I, p. 514. Aux « torts de la Rime » s'ajoutent, selon Verlaine, ceux de la césure. Loué soit Baudelaire d'avoir cherché à « reposer l'oreille bientôt lasse d'une césure trop uniforme » (*op. cit., O.C.*, t. I, p. 67).

un article qu'il envoie en 1888 au *Décadent,* que « la rime n'est pas condamnable, mais seulement l'abus qu'on en fait » (23). L' « abus » qu'il censure parce qu'il contrarie plus gravement qu'aucun autre l'essor de son chant profond est celui de la rime riche. Il s'interdit, pour sa part, de rimer avec une pareille insistance. Mais il résiste aussi à l'attrait, plus fallacieux encore, de la simple assonance. « L'assonance, explique-t-il, serait, si adoptée dans sa littéralité, un souci musical tout aussi gênant que la Rime, mais combien inférieur à elle en pureté, en noblesse de son. » (24) La rime heureuse, qui accompagne discrètement le progrès mélodique du poème, il la trouve quand il compose la première strophe de la « chanson bien douce » de *Sagesse* :

> Ecoutez la chanson bien douce
> Que ne pleure pour vous plaire.
> Elle est discrète, elle est légère
> Un frisson d'eau sur de la mousse. (25)

Mais pourquoi le vers tout entier, à l'exemple de la rime, n'acquer-rait-il la légèreté qui rend la mélodie verlainienne à nulle autre pareille ? Verlaine lui imprime, avec un soin délicat, le *tempo* de son lyrisme. Il y parvient plus vite, sinon plus complètement, lorsqu'il choisit un mètre impair, qui se prête à des coupes irrégulières. Mais il impose aussi à des mètres apparemment plus rigides les pauses, imprévisibles, que pres-crit le phrasé de sa strophe. Il réserve surtout ce traitement à l'alexandrin, qu'il se plaît à disloquer, comme s'il vengeait ainsi la poésie française d'une longue et rigoureuse tyrannie. La relative liberté de l'alexandrin ternaire, cher aux romantiques, ne lui suffit plus quand il entreprend de transcrire musicalement l'agitation de son âme éblouie par la misé-ricorde du Seigneur. Il la débride et l'exacerbe, il en rompt les derniers liens :

> Seigneur, c'est trop ! Vraiment je n'ose. Aimer qui ? Vous ?
> Oh ! non ! Je tremble et n'ose. Oh ! vous aimer, je n'ose,
> Je ne veux pas ! Je suis indigne. Vous, la Rose
> Immense des purs vents de l'Amour, ô Vous, tous
>
> Les cœurs des saints, ô Vous qui fûtes le Jaloux
> D'Israël, Vous, la chaste abeille qui se pose
> Sur la seule fleur d'une innocence mi-close,
> Quoi, moi, moi, pouvoir Vous aimer ? Etes-vous fous,
>
> Père, Fils, Esprit ? Moi, ce pécheur-ci, ce lâche,
> Ce superbe, qui fait le mal comme sa tâche
> Et n'a dans tous ses sens, odorat, toucher, goût,

(23) « Un mot sur la rime », *O.C.,* t. I, p. 895.
(24) *Op. cit., ibid.,* p. 898.
(25) *Sagesse,* I, 16 ; *O.C.,* t. I, p. 301.

> Vue, ouïe, et dans tout son être — hélas ! dans tout
> Son espoir et dans tout son remords, que l'extase
> D'une caresse où le seul vieil Adam s'embrase ? (26)

C'est la voix même du poète, à la fois transporté et brisé, c'est elle, et non pas le martèlement habituel de l'alexandrin, qui imprime à ce sonnet de *Sagesse* tant de saccades. La preuve est administrée, une fois de plus, qu'en s'aidant et se jouant des conventions de la prosodie, Verlaine mène à bien un projet proprement musical.

Si la musique que recèle sa poésie se définit par un certain rythme, irréductible à la mesure du vers, elle a aussi une sonorité sans égale. Celle-ci se reconnaît immédiatement, comme la sonorité de la musique de Mozart ou de Schubert, à l'écoute d'une pièce de choix, d'une « romance sans paroles » :

> Dans l'interminable
> Ennui de la plaine
> La neige incertaine
> Luit comme du sable (27).

Elle consacre, d'abord, l'extrême attention avec laquelle Verlaine écoute lui-même le moindre son du moindre mot qu'il se met en devoir de faire chanter. Il faut que le mot juste sonne juste aussi. A la limite, la musicalité sera préférée à la propriété. Verlaine admire les chansons populaires où tiromphe gaiement ce parti pris. Leur exemple l'encourage à jouer au chansonnier. Il fait son apprentissage dans les *Fêtes Galantes*, sous le couvert de la fantaisie parodique, dont « Colombine » est le modèle presque parfait :

> Léandre le sot,
> Pierrot qui d'un saut
> De puce
> Franchit le buisson,
> Cassandre sous son
> Capuce,
>
> Arlequin aussi,
> Cet aigrefin si
> Fantasque
> Aux costumes fous,
> Ses yeux luisant sous
> Son masque,
>
> — Do, mi, sol, mi, fa —
> Tout le monde va,
> Rit, chante
> Et danse devant
> Une belle enfant
> Méchante (28).

---

(26) *Sagesse*, II, 4 ; *O.C.*, t. I, p. 317.
(27) *Romances sans paroles*, « Ariettes oubliées », 8 ; *O.C.*, t. I, p. 261.
(28) *Fêtes Galantes*, « Colombine » ; *O.C.*, t. I, p. 189-190.

Plus « légère » que jamais, la musique s'affranchit ici des lenteurs du discours et des pesanteurs du lyrisme. A l'intérieur d'un vers qui n'a d'autre fonction que de la servir, elle mobilise chaque mot, chaque syllabe, chaque consonne, chaque voyelle pour produire ses effets. Alors que se succèdent, en un temps fort bref, tant de sons si bien enchaînés que le pur plaisir de les écouter s'impose sans partage, il semble naturel que tout au long d'un vers s'égrènent les notes de la gamme :

— Do, mi, sol, mi, fa —

Dans « Colombine », comme plus tard dans « Chevaux de bois », Verlaine s'amuse. Mais il s'exerce aussi à purifier le matériau sonore que le français lui fournit. Il en extrait un langage musical. Grâce à quoi, pour peu qu'une inspiration sérieuse le visite, il dispose, pour composer La *Bonne Chanson* ou les *Romances sans paroles,* d'une souveraine maîtrise. Elle lui permet de rivaliser concrètement avec le musicien. Comme lui, il pratique la reprise. Elle peut consister, tout simplement, dans la répétition de certains mots, dont l'écho se superpose au retour de la rime :

O triste, triste était mon âme
A cause, à cause d'une femme (29).

Ailleurs elle revêt la forme d'une variation mélodique, que le changement d'ouverture d'une même voyelle suffit à entraîner :

Dans ce cœur qui s'écœure (30).

Elle devient modulation, lorsque deux mots, de structure phonétique presque semblable, mais de sens différent, se répondent à courte distance :

Il pleure dans mon cœur
Comme il pleut sur la ville (31).

Dans le premier vers de « Green », le jeu porte sur les consonne initiales de substantifs :

Voici des fruits, des fleurs, des feuilles et des branches (32).

Dans la suite des « Aquarelles », sur les titres des pièces : « Green », « Spleen », « Streets ». Il se reproduit bien d'autres fois encore. Mais il est loin d'épuiser l'intention musicale de Verlaine. Elle se manifeste, en effet, dans l'ordre de la discordance comme dans celui de la modulation. Elle donne précisément toute sa mesure quand elle combine les deux phénomènes. C'est ainsi que dans la huitième des « Ariettes oubliées »

_____

(29) *Romances sur paroles,* « Ariettes », 7 ; *O.C.,* t. I, p. 260.
(30) *Op. cit., Ibidem*, 3, 3ème strophe de l' « Ariette » ; *O.C.,* t. I, p. 257.
(31) *Op. cit., Ibidem* ; *O.C.,* t. I, p. 266.
(32) *Op. cit.,* « Aquarelles » ; « Green » ; *O.C.,* t. I, p. 273.

l'obsédante reprise des sonorités en *i* et en *e* au long des quatre premières strophes prépare l'effet de surprise que produira l'introduction du *ou* comme tonique et dominante :

> Corneille poussive
> Et vous, les loups maigres,
> Par ces bises aigres
> Quoi donc nous arrive ? (33)

Que la dissonance ou que la consonance l'emporte, chaque strophe de la plupart des pièces qui portent, dans l'œuvre de Verlaine, un titre musical, offre une remarquable cohérence sonore. Point de mots, de syllabes qui ne contribuent à tracer la ligne ou a donner la tonalité de la mélodie. L'article lui-même, quand il n'est pas éliminé, le démonstratif, le pronom tiennent leur partie. La phrase entière chante. Quel vocable abstrairai du développement général de la septième des « Ariettes » ?

> O triste, triste était mon âme
> A cause, à cause d'une femme.
>
> Je ne me suis pas consolé
> Bien que mon cœur s'en soit allé,
>
> Bien que mon cœur, bien que mon âme
> Eussent fui loin de cette femme.
>
> Je ne me suis pas consolé,
> Bien que mon cœur s'en soit allé.
>
> Et mon cœur, mon cœur trop sensible
> Dit à mon âme : Est-il possible,
>
> Est-il possible, — le fût-il, —
> Le fier exil, ce triste exil ?
>
> Mon âme dit à mon cœur : Sais-je
> Moi-même que nous veut ce piège
>
> D'être présents bien qu'exilés
> Encore que loin en allés ? (34)

Quelques mots : « âme, femme cœur, exil », traités comme des notes fondamentales, quelques formules : « Je ne me suis pas consolé », « Est-il possible ? », traités comme des thèmes, circulent à travers l'ariette. Ils viennent et reviennent, déformés, reformés, combinés ensemble ou à d'autres éléments qui entrent moins fréquemment en jeu. Des bouts de

---

(33) *Op. cit.*, « Ariettes oubliées », 8 ; *O.C.*, t. I, p. 261.
(34) *Op. cit.*, *Ibidem*, 7 ; *O.C.*, t. I, p. 260.

de refrain les rappellent, parfois quand on ne les attend plus. Il s'ensuit que l'oreille n'est jamais démobilisée.

Il reste à définir la tonalité, à la fois hauteur et timbre, de la musique qui s'entend dans la poésie de Verlaine, celle des « ... chants voilés de cors lointains » que recèle la « Nuit du Nalpurgis classique » (35) ou des chansons que les amants désabusés des *Fêtes Galantes* fredonnent sur « le mode mineur » et « en sourdine ». Elle s'identifie sans doute à la « douceur », qui, dans les *Poèmes Saturniens*, est requise, sur le mode sentimental, de l'amante de « Lassitude » :

> De la douceur, de la douceur, de la douceur ! (36)
> Calme un peu ces transports fébriles, ma charmante,

mais qui devient, dans la « chanson bien douce » de *Sagesse*, une qualité proprement musicale :

> Ecoutez la chanson bien douce
> Qui ne pleure que pour vous plaire.
> Elle est discrète, elle est légère :
> Un frisson d'eau sur de la mousse (37)

La « douceur », opposée à la raideur d'une poésie catégorique, pourrait bien qualifier à la fois le rythme qui se joue subtilement de la mesure, la rime féminine préférée plus qu'à son tour, la ligne du chant qui se faufile de vers en vers, la suite des effets sonores qui ne s'interrompt guère, créant l'envoûtement. Le culte de la « douceur », mieux approprié au mélodiste qu'à l'harmoniste, au génie de Verlaine qu'à celui de Baudelaire, détermine le parti, parfois audacieux, toujours heureux, que le poète tire de la plus « discrète » des voyelles de la langue française, l'incomparable « e » muet. Le son qu'elle produit à l'extérieur du vers n'est pas un son comme les autres. Il est, selon le mot de Nadal, « une manière de son silencieux » (38). La mesure de temps qu'il occupe devient donc un véritable silence musical, que Verlaine se plaît à faire entendre, non seulement pour que la démarche du vers soit affectée d'une hésitation, mais parce que sa poésie, comme toute poésie digne de son nom, ne hait rien tant que le bruit :

> Les chères mains qui furent miennes,
> Toutes petites, toutes belles,
> Après ces méprises mortelles
> Et toutes ces choses païennes,
>
> Après les rades et les grèves.
> . . . .
> Les chères mains m'ouvrent les rêves (39).

---

(35) *Poèmes Saturniens,* « Paysages tristes », 4 : « Nuit du Walpurgis classique » ; *O.C.,* t. I, p. 104.
(36) *Fêtes Galantes,* « Claire de lune » et « En sourdine » ; *O.C.,* t. I, p. 173 et 191.
(37) *Poèmes Saturniens,* « Melancholia », 5 : « Lassitude » ; *O.C.,* t. I, p. 93.
(38) Octave Nadal, *Paul Verlaine,* Paris, Mercure de France, 1961, p. 151.
(39) *Sagesse,* I, 17 ; *O.C.,* t. I, p. 302-303.

Quand il célèbre la liturgie des « chères mains », mais aussi du « ciel par dessus le toit » (40) ou de « l'espoir » qui « luit comme un brin de paille dans l'étable » (41), le poète de *Sagesse* renoue, comme celui des *Romances sans paroles,* auquel il ne faut pas l'opposer inconsidérément, la vieille alliance de la poésie et de la musique. Elle n'exige nullement de lui, homme de la parole, l'inconcevable sacrifice du sens au son. Les mots, qui n'y gagneraient rien, y perdraient leur pouvoir de communiquer et le dicible et l'indicible. Verlaine cherche plutôt à obtenir que la musique qu'il libère du langage, soutienne, comme le fera à son tour celle de Fauré, la parole qu'il murmure et qui a grand besoin, pour se faire entendre, de cet accompagnement-là. Quand il y parvient, les métaphores musicales dont il se sert pour signifier de sa réussite sonnent juste. Si quelque musicien compose un jour le Tombeau de Verlaine, il devra se rappeler l'un des derniers souhaits du Chanteur impénitent :

> Il ne me faut plus qu'un air de flûte,
> Très lointain en des couchants éteints.
> Je suis si fatigué de la lutte
> Qu'il ne me faut plus qu'un air de flûte
> Très éteint en des couchants lointains (42).

Paul Viallaneix

---

(40) *Op. cit.,* III, 6 ; *O.C., t.* I, p. 329-330.
(41) *Op. cit.,* III, 3 ; *O.C.,* t. I, p. 327-328.
(42) *Epigrammes,* 7 ; *O.C.,* t. II, p. 1038.

L'OEIL DOUBLE ET LES MOTIVATIONS VERLAINIENNES DANS *ROMANCES SANS PAROLES*

S'il existe un titre poétique à la fois délicieux et ambigu ; un titre musical, porteur d'ondes de rêve, qui peut cependant sembler parfois jouer avec certaines promesses, c'est bien *Romances sans paroles,* puisque se font jour dans le recueil non seulement plus d'une romance avec paroles, mais aussi, directes à travers leurs ferveurs ou leurs nostalgies, maintes paroles, sans romances ...

C'est aussi, pour peu que l'on s'y attache sans parti-pris, une œuvre, que l'on peut dire *énigmatique,* car plusieurs lectures en communiquent bon gré mal gré, intuitivement, des impressions différentes, et orientent diversement l'âme ou l'esprit. Je suis sûr que tout lecteur a parfois éprouvé comme moi l'impression qu'il existe deux manières de lire et d'éprouver ces poèmes ; deux approches. L'on peut s'abandoner à son atmosphère, à son cours de rêve et à sa part de ferveur. Se laisser glisser, porter. Accepter et adhérer. Se laisser capter. L'on peut aussi, ensuite, et presque nécessairement, chercher à se préciser les raisons diverses du charme, de ses tonalités, de ses ruptures de tension ; chercher peut-être également les motivations profondes des thèmes. Quelles sont les nappes souterraines des jeux d'eau irisée ?

Qu'est-ce qui est le plus important : susciter des questions, ou apporter des réponses ? C'est une grande question ! En fait, et sans paradoxe, aurait-on seulement des questions un peu nouvelles à porter au jour que ce serait déjà utile, car faire naître des questions prouve déjà qu'*il y avait lieu* à questions. C'est déjà indiquer la direction d'une lumière. Mais l'on peut, de surcroît, suggérer des réponses. C'est à cela que je me suis attaché.

Je viens de dire que (mis à part, dans mon esprit comme dans mon champ exploratoire, le lot de quatrains en forme de plaidoyers post-matrimoniaux astucieux et assez fades, parce qu'hypocrites et faisant la chattemite, de *Birds in the Night* — sauf les trois derniers quatrains, et je dirai pourquoi), les Romances sans paroles représentent, dans leur essence, une œuvre à la fois fraternelle et déconcertante ; une œuvre insidieusement et parfois torpidement énigmatique, ce qui est d'ailleurs l'un des principes de son charme captieux, lui-même uni au *trouble* complexe que Verlaine ressent diversement et dont l'art devrait, sinon conjurer, du moins décanter le pouvoir obsesseur en communiquant seulement l'alchimie de ses ferveurs ou de ses nostalgies, selon la formule future — mais déjà proche — d'un poème de Cellulairement, *Images d'un sou :*

> « De toutes les douleurs douces
>   Je compose mes magies ... »

Lecture double des Romances sans paroles ? — Oui, parce qu'il s'agit d'une œuvre double à divers points de vue, et que le trouble dégage forcément une *aura* complexe. Oeuvre double par son accent et sa double portée en majeur-mineur ; double dans la durée extérieure et celle de la saison mentale traversée ; dans l'éclairage ; dans l'atmosphère — acceptée ou recréée ? Dans l'équivoque des conflits et le chuchotement des mots de passe ... Point ne m'est donc besoin d'insister sur le mélange visible (le mélange invisible est plus troublant) d'un certain réalisme et d'impressionnisme certain. Sur cet impressionnisme en lui-même, bien des réflexions intéressantes ont été faites et seront encore avancées. Ce n'est donc pas de lui que je compte parler en tant que réalisation esthétique. Une certaine qualité d'impressionnisme entre en revanche dans la nécessité psychologique et les visions stéréoscopiques, sur plusieurs dimensions, de cet *œil double* qu'invoque l'Ariette II. Oeil double qui a été pour le Verlaine des Ariettes et des Paysages, clef ou symbole d'évasion multi-plans, alors que les témoignages de son optique particulière peuvent aussi nous dénoncer l'aveu involontaire ou l'alerte.

Ainsi le titre de cette communication indique et souligne dans mon esprit (ou dans mon intention) deux questions connexes, concernant à la fois le poète et l'homme, dans leurs interréactions inévitables et profondes.

*
* *

Que l'on m'entende bien ! Il ne s'agit pas d'alourdir exprès, et inutilement d'une glaise biographique la sandale ailée de Mercure ou les sabots de Pégase ! Il s'agit de ne pas éviter de se poser ici la question que j'estime fondamentale, et qui peut se résumer ainsi : chez un poète, entre le trouble — intime, personnel — et *la science du trouble,* quels sont les rapports ? Leur dialectique ? Leur équilibre ? Comment se présente la création poétique ? — Un peu comme un bombardement de particules où, dans des proportions subtiles, aussi variables que leur vitesse d'arrivée à la conscience ou à la plume, arrivent au créateur les les sons et les leçons que son âme souffle aux mots — lesquels se mettent ensuite de la partie... —, ou que tantôt les faits, tantôt les formes soufflent à son imagination créatrice pour clarifier son mystère de vivre ou soulager son âme. Sur quoi il construit, ajoute, rabote, supprime, reconstruit ses vers, stabilise son œuvre — ou croit l'avoir stabilisée —, avec cette succession d'instincts vibratiles que l'on nomme « génie », et qui est en réalité la somme brillante de toutes les opérations intermédiaires exécutées d'abord dans la fourmilière intérieure.

En retour, le poète n'a pas seulement une vie intérieure intense, mais une vie extérieure qui, pour être assumée et féerisée, ne l'en influence pas moins, fût-ce par réaction ou par diffraction. Les poètes le savent si bien qu'ils essaient souvent de la dissimuler, et même de s'inventer une autre vie en gardant le bénéfice spirituel — ou sensuel — des deux ... L'on peut d'autant moins se dispenser de cerner et de rappeler ces vérités sous-jacentes que certains critiques, au nom de leur dogmatisme personnel, ou par un entêtement voulu que n'inspire pas excessivement l'impartialité, ont tendance à imputer à manie ou infirmité de « critique biographique » toute référence d'une œuvre poétique à la vie personnelle du créateur, comme si ce créateur, au lieu d'être aussi une créature humaine, représentait ce que les philosophes nommaient un « être de raison » sans passé ni avenir affectifs, réduit à une pensée se nourrissant elle-même par auto-fécondation, et tournant sur elle-même comme une machine pyrotechnique qu'aucune force précise n'a mise à feu !

J'ai précisément écrit à ce sujet, mais voici longtemps (et c'est pourquoi je le répéterai ici, parce que, comme Gros René le déclare dans *Dom Juan* à Charlotte : « Je te dis toujours la même chose, parce que c'est toujours la même chose »...) : « L'œuvre poétique ne peut pas être, à peine de faillite, l'expression directe du monde brut et rebelle que le créateur est voué à assumer ; il existe, de la matière à la créature pensante, et de la créature pensante à la création qu'elle *secrète*, une modification de vision et un changement de densité qui entraînent une transformation analogue au phénomène de *réfraction,* chaque créateur, bien entendu, se manifestant par un indice de réfraction qui lui est propre ».

Ce qui importe en définitive, c'est l'approche de cet indice de réfraction entre l'existence massive — ou cachée — et sa sublimation par l'œuvre. Sublimation qui est en vérité restitution, puisqu'elle permet au créateur, non seulement de se délivrer de ses parasites, mais d'en délivrer la vraie vie...

Un poète est, par essence, un être qui change toute sorte de matières brutes en produits à la fois finis et infinis, — mais évidemment à partir d'elles. La Poésie, comme Dieu, va droit à son but par des lignes brisées. Il ne s'agit donc pas d'exercer une critique biographique, mais, de même qu'il existe heureusement une médecine psychosomatique, d'appliquer une *critique psychosomatique,* — et je revendique l'expression.

Leconte de Lisle impassible ? Allons donc ! Ce masochiste sublimé appliquait pour le faire croire la technique et la structure nécessaires, que j'ai démontées jadis. Et Valéry, dont l'on m'assénait autrefois le pur intellectualisme, alors que je connaissais déjà, par des confidences et des relations, certaines des amours forcenées dont, depuis, des catalogues de ventes publiques ont dévoilé avidement presque tous les détails... Que dire alors d'un Verlaine, être perpétuellement vibratile, influençable, soumis à un intense *héliotropisme* devant l'amour élu ? Quand, il y a trente ans, je ressuscitai en Elisa Moncomble un des deux grandes amours de Verlaine, maints critiques voulurent s'employer à la réenterrer, tout en se gaussant de celui qui, avec conscience et ferveur, avait

osé dire à cette âme errante : « Lève-toi, et sois de nouveau aimée ! ».
Or, depuis — et c'est pourquoi je le rappelle — c'est devenu un fait
de l'histoire littéraire, comme si c'était acquis de toute éternité. L'an
dernier, les éditions Gallimard m'ont même demandé mon autorisation
pour reproduire dans leur Album de la Pléiade l'unique photographie
d'Elisa que j'avais publiée.

Verlaine attendait un Rimbaud avant Rimbaud, car Verlaine ne
peut vivre seul, sans reflet à qui s'adresser ou flambeau directeur à
fixer jusqu'à l'éblouissement, et parfois l'hypnose. Quand il n'a personne, il s'invente un double...

Or, en un certain été de 1871, Verlaine est un homme seul. Seul
dans un mariage décevant, dans un ménage à la dérive. Seul, et comme
en rupture de ban après la Commune. Seul en province avec des souvenirs morbides. Seul socialement, car même son éditeur Lemerre lui
a refusé l'impression d'un nouveau recueil, se permettant pour tout
potage de le morigéner : « Supprimez deux choses dans votre existence,
la politique et la jalousie, et vous serez un homme parfait... ».

Il faut également se souvenir, comme Verlaine, que depuis son
mariage il n'a plus rien écrit, sauf, en cachette de sa femme, pendant
ses heures de bureau, la petite tragi-comédie *Les uns et les autres*,
(recueillie seulement en 1884 dans Jadis et Naguère) qui se borne à
remâcher, à partir des anciennes Fêtes galantes, une philosophie à la
fois cynique et mélancoliquement relativiste. Ainsi, il tourne en rond,
loup affamé, dans une claustration mentale qui engendre un sentiment
lancinant de frustration.

Si, du moins, il pouvait se venger par l'imagination créatrice de
cette lourde irréalité du quotidien ? Se prouver à soi-même en faisant,
dans le domaine poétique, autre chose ? Mais quoi ? ... Or, cet *autre
chose*, il l'a déjà esquissé, pressenti. Ce sont les vers d'hypnose con-
trôlée d'*Allégorie* :

> « ... L'homme dort loin du travail quitté.
> . . . .
> Une rotation incessante de moires
> Lumineuses étend ses flux et ses reflux... ».

C'est le clair-obscur vaguement magique d'*Intérieur,* où un vers
pourrait servir d'épigraphe à plus d'une Ariette ou Paysage des Romances sans paroles :

> « Tout aurait l'attitude et l'âge du secret ... ».

Il s'est déjà dépassé, mais comme inconsciemment, car il n'a guère
attaché d'importance à ces vers donnés au petit journal Le Hanneton ;
à ces essais qui semblent des « dictées » d'un *autre*, des avant-gardes
d'un avenir encore inconnu et inorganisé, parce que rien — ou personne — ne vient le déclencher. Il est prêt à muter, mais il l'ignore...
La porte du génie, comme celle du bonheur, ouvre en dedans... Il faut
qu'un appel d'air la pousse. Ce va être l'œuvre d'un certain Rimbaud,
étrange éphèbe aux mains rouges et aux yeux de pervenche, au regard

et aux paroles d'illuminé, comme s'il était la réincarnation de quelque Nicolas Flamel. En bousculant la porte mystérieuse, il apporte à Verlaine un souffle nouveau : le vent du large, mais aussi l'inconnu d'une tempête irréversible.

*
* *

Rimbaud ? ... La belle découverte ! — Ce n'est évidemment pas de l'influence *générale* de Rimbaud sur Verlaine que j'entends parler : influence fatale, criante, mais qui prend l'aspect d'un théorème tant que l'on n'en parle qu'en termes généraux. Il s'agit d'un problème plus complexe, et toujours plus intéressant à mesure qu'on le pénètre et le cerne, et dont on voit, quand on en a été frappé et qu'on s'y est attaché, les conséquences sur les motivations de Verlaine.

Les conclusions, servies par certaines situations chronologiques, corroborées par certaines mutations soudaines, par la comparaison de certains vers avec ceux de Rimbaud, également par les espèces d'actes manqués d'autres poèmes, montrent chez Verlaine, dans diverses thématiques des Romances sans paroles, la *réversibilité* entre l'attraction passionnée, délirante, toujours plus anxieuse, vers *l'être* Rimbaud, et l'effort, lui, patient, constant, méthodique — même quand il est désespéré — d'émulation poétique et de révélations créatrices proposées à l'attention admirative du *créateur* Rimbaud. Les sortilèges de l'esprit seront vite et assidûment appelés au secours d'une attraction passionnelle qui faiblit chez un partenaire aisément blasé. Il faut retenir ou reconquérir l'amant en recommençant à *l'étonner*, et pour cela retransformer, retransfigurer le quotidien en aventure intérieure nouvelle et en découvertes séduisantes pour cet esprit insatiable et ce maître ès-rénovations... Des élans d'enthousiasme intellectuel sont recherchés pour renouveler les spasmes d'attachement affectif de plus en plus instables chez l'époux infernal.

Ces conclusions font apparaître conjointement la double part qu'a prise la vision diffractée de l'œil double dans l'incertitude affective de Verlaine et le charme d'une poésie polyphonique où le reflet est aussi vrai que l'image, et où l'écho en mineur se fait entendre en même temps que la voix...

*
* *

Dans n'importe quel amour, disent les cyniques, il y a toujours un cavalier et un cheval ! Or, si Verlaine, parisien, auteur publié d'œuvres troublantes (les Fêtes galantes, telles qu'elles apparaissent à Rimbaud) ; enfin révolutionnaire déjà chevronné, homme d'action par sa participation à la Commune (telle que la voit Rimbaud) aussi bien que porte-voix révolutionnaire par des poèmes tels que Les Vaincus dans le deuxième Parnasse contemporain, — a d'abord été le cavalier pour un petit provincial ébloui, ce sera bientôt l'inverse.

D'où une certaine dialectique, hégélienne dans leur liaison et ses répercussions sur l'évolution de Verlaine :

1 / L'émulation et son éblouissement.

2./ (Antithèse) : l'anxiété, ses cures, son halo, son « aura ».

3 / (Synthèse) : le fatalisme sublimé, vers la fierté.

Psychologiquement, s'il y eut très vite inquiétude passionnée qui débouche logiquement sur une fuite en avant, il se passe quelque temps avant que ces mécanismes soient perçus clairement par la conscience ; avant que le déséquilibre soit ressenti, accepté, assumé, et toutes les forces de mobilisation passées en revue. Il y aura des rémissions.

Sur le plan de la création poétique, il y a d'abord, et d'emblée, attraction de Verlaine, admiration de plus en plus ancrée. Aux yeux de Verlaine, Rimbaud sera toujours, à travers tout et malgré tout, un être totalement extraordinaire, une espèce de demi-dieu irremplaçable. En 1887, comme il écrit sur lui une notice pour les Hommes d'aujourd'hui, il cite le critique Félix Fénéon disant des Illuminations » que c'était en dehors de toute littérature, et même sans doute au dessus ». Ce sera pour ajouter : « On pourrait encore reprendre la phrase pour mettre l'homme en dehors en quelque sorte de l'humanité, et sa vie en dehors et au-dessus de la commune vie. Tant l'œuvre est géante, tant l'homme s'est fait libre ». Il ne peut s'empêcher d'adjoindre cette image frappante, qui évoquait pour lui des souvenirs précis : « Le tout simple comme une forêt vierge et beau comme un *tigre* ... ». (1) Amour et admiration se confondent dans le culte frénétique qu'il voue à celui qui, balayant toute convention, dépoussiérant à grands coups la tradition, apparaît apte à tout résoudre — les petits problèmes comme les questions capitales — par des théorèmes nouveaux secondés par des entrevisions vertigineuses.

S'approprier tous les moyens de plaire s'avèrera d'autant plus nécessaire que, dès après le beau et rapide voyage de noces, après la lune de miel (et même avant, au temps de l' « exil » de Rimbaud durant l'hiver de 1872 — exil que celui-ci ne pardonnera jamais : il y a d'aileurs une troublante résurgence du mot *exil* dès l'Ariette IV, puis dans l'Ariette VII, si infernalement ambigue, également dans la première version d'Amoureuse du Diable :

« Nous avons trop souffert, tous, anges et hommes,
        De cet exil aux si mornes désaveux ... »

— aussi bien que dans la séquence *Vagabonds* des Illuminations : « Par ma faute, nous retournerions en exil... »).

---

(1) Chargé par le Préfet de Police d'une nouvelle enquête sur Verlaine, l'officier de police Lombard, le 1er août 1873, rapporte ainsi, en toute simplicité, des renseignements fournis par un indicateur : « ... On a vu les deux amants à Bruxelles, pratiquer ouvertement leurs amours. Il y a quelques temps, madame Verlaine alla trouver son mari, pour essayer de le ramener. Verlaine répondit qu'il était trop tard, qu'un rapprochement était impossible, et que d'ailleurs il ne s'appartenait plus. » La vie du ménage m'est odieuse », s'écria-t-il ; « Nous avons des amours de tigres ! », et, ce disait il montra à sa femme, sa poitrine tatouée et meurtrie de coups de couteau que lui avait appliqués son ami Raimbaud (sic). Ces deux êtres se déchiraient comme des bêtes féroces, pour avoir le plaisir de se raccommoder ». (Documents inédits tirés des Archives de la Préfecture de Police. Hors Commerce).

Des divergences sont apparues, qui seront aggravées par le torpide ennui du quotidien, par la routine du bonheur, qui « sécurise » Verlaine, mais que déteste Rimbaud : « Quant au bonheur établi, domestique ou non, — non ! je ne peux pas », s'écrie-t-il dans *Mauvais sang* (Une saison en Enfer) ; et puis encore : « je redoute l'hiver, parce que c'est la saison du confort ! (*Adieu*) »

Mais n'anticipons pas trop. Revenons au premier stade, celui des pôles d'attraction que nous fournit diversement l'exemple des Ariettes dites *oubliées*. Rimbaud, durant leur première séparation en 1872 déniche à la Bibliothèque de Charleville un recueil de comédies musicales de Favart, où il s'éprend d'une ariette qu'il copie pour Verlaine. Ariette *oubliée*, par qui ? Par la critique musicale, la mémoire collective, par le XIXème siècle, qu'il s'agisse d'un adjectif ajouté par l'auteur d'une anthologie, ou plus probablement par Rimbaud dans sa lettre. Verlaine, charmé, s'avise qu'il possède lui-même un recueil de pièces du XVIIIème siècle, dont *Ninette à la Cour*, où figure l'ariette précitée. Il a déjà donné à une petite revue la pièce de vers « C'est l'extase langoureuse... », qui commémore leur premier bonheur dans quelque oasis de banlieue, et qui deviendra le poème liminaire des *Romances sans Paroles*. Par une coïncidence charmante, elle paraît le 18 mai 1872, le jour même du retour de Rimbaud à Paris, comme pour désarmer sa colère d' « exilé » en province. Mais Verlaine l'a baptisée *Romance sans paroles*, futur titre de tout le recueil. Quand il publie dans la même petite revue, en juin, le poème qui deviendra la cinquième pièce des *Romances sans paroles*, il l'intitule seulement *Ariette*, sans adjectif. Lorsqu'en décembre 1872, il décrit à Lepelletier comme achevé le futur et encore lointain manuscrit des *Romances sans paroles*, il lui assigne quatre parties : *Romances sans paroles*, *Paysages belges*, *Nuit falote* (XVIIIème siècle populaire), *Birds in the night*. Aucune mention d'*Ariettes*, oubliée ou non.

Pourtant, au moment d'assurer définitivement une structure significative à son recueil, Verlaine crée une première partie de neuf poèmes, avec un sous-titre inspiré de Rimbaud : *Ariettes oubliées*, l'adjectif — fétiche du passé — acquérant à ce moment un sens très personnel : ariettes *oubliées* par la suite tumultueuse du temps vécu, ou peut-être aussi — avec le désir conjuratoire du démenti... — oubliées par le compagnon avec lequel fut symboliquement chantée et goûtée « l'ariette, hélas ! de toutes lyres ».

Il y a plus révélateur encore dans ces Ariettes, et c'est une découverte dont je suis heureux de faire part ici au lecteur : en relisant mon édition — la vraie édition originale — de la pièce de Favart intitulée *Le Caprice amoureux ou Ninette à la Cour*, j'ai trouvé non pas une, mais plusieurs ariettes, dont l'une, qui clôt la pièce sous le titre de *Divertissement*, s'ouvre par les 14 vers suivants :

  « La Cour n'est qu'un esclavage,
        L'avantage
        Du Village
    C'est de vivre en liberté ;

> L'avantage
> Du Village
> C'est de suivre la gaîté.
>
> Sous un brillant étalage,
> Il faut trop de gravité.
> J'aime mieux en cotte légère
> Folâtrer sur la fougère.
> L'on s'engage
> A la Cour dans l'esclavage,
> Et j'en sors comme un oiseau de sa cage... ».

Le lecteur s'apercevra vit avec moi que, *sur 14 vers, 13* sont des vers *impairs,* de 7 ou 3 syllabes (la première ariette — celle dont les deux premiers vers servent d'épigraphe à l'Ariette I — contenant 7 vers impairs, de 3 ou de 5 syllabes). Ces rythmes, ce sont précisément ceux de maint poème des *Romances sans paroles* ; ces variations sur le vers impair annoncent la recommandation bientôt énoncée dans l'Art poétique :

> « De la musique avant toute chose
> Et pour cela préfère l'impair... »

— si bien que, par l'intermédiaire de Rimbaud, l'on peut se plaire à ajouter l'influence de Favart à celles que l'on cite toujours : Marceline Desbordes Valmore, par exemple.

Que les deux amis, qui se communiquent en général leurs poèmes à peine écrits, usent plus d'une fois de rythmes similaires, peut apparaître comme normal. En revanche, pourquoi, soudain, ce prurit de « poésie populaire » en Verlaine : ce « chien de Jean de Nivelle... », poème qui ressemble à des visions préoniriques où Verlaine semble fixer des vertiges, mais, exprès, en fausses rimes ou en assonances pures ? — On en pénètre le motif en lisant dans une des deux dernières études verlainiennes sur Rimbaud, publiée par *The Senate* en octobre 1895 : « Sur le tard, je veux dire vers dix-sept ans au plus tard, Rimbaud s'avisa d'assonances, de rythmes qu'il appelait *néants*, et il avait même l'idée d'un recueil, *Etudes Néantes*, qu'il n'écrivit, à ma connaissance, pas ». Il ne l'écrit pas, mais il en parle, et Verlaine s'y essaie.

Troisième exemple : le fameux poème « Il pleure dans mon cœur... », qui semble, lui aussi, organisé selon cette technique. Mais, dans ces vers, Verlaine a été plus avant : lui qui se préoccupait de *la vie des choses,* il a suggéré la vie des larmes... Des gouttelettes sourdent et se répondent, tantôt à l'intérieur, tantôt à la fenêtre des vers : rimes irrégulières et vagues comme le clapotis de la pluie, syllabes lancinantes comme l'ennui.

Ici l'on peut dire que Verlaine a trouvé une technique personnelle neuve, à la fois plus émouvante et plus raffinée que celle de Rimbaud. Il s'agit encore, non seulement de se libérer de son spleen par auto-injection, mais d'être admiré par celui qui n'admire, sans jalousie, que la création, point du tout les états d'âme que la nourrissent. Tant mieux donc si de la tristesse admirablement décantée et orchestrée peut éventuellement sortir une risée de soleil passionnel.

Voilà, certes, des motivations exaltantes et précises, avec leurs résultats positifs, — mais positifs *sur le seul plan de la poétique*. Car, si Verlaine opère des percées techniques nouvelles dans l'aimantation de Rimbaud, et pour tenter de se joindre à lui totalement (et point seulement par le corps) ; donc de souder sûrement l'époux infernal à la demi-vierge trop folle de lui, leurs caractères, leurs natures, demeurent, par essence, fondamentalement différents.

Devant la vie, devant l'inconnu, l'attitude de Rimbaud est volontariste, et ses poèmes de mai 1872, face à ceux de Verlaine écrits le même mois, le montrent clairement Verlaine demeure un Janus dont une face contemple inviciblement toutes les sortes de rêve, auquel il se complaît comme à une drogue d'évasion consolatrice. Rimbaud estime la complaisance au rêve incompatible avec la conquête résolue de l'avenir. Esquisse-t-il dans *Le pauvre songe* un bref éloge rhétorique, sinon de la résignation, du moins de la patience, c'est pour s'écrier aussitôt :

> « ... Ah ! songer est indigne
> Puisque c'est pure perte ! »

S'il ouvre ses *Bannières de Mai* par deux vers qui pourraient appartenir aux *Romances sans paroles* :

> « Au branches claires des tilleuls
> Meurt un maladif hallali »

— C'est pour contre-attaquer immédiatement :

> « Mais des chansons spirituelles
> Voltigent parmi les groseilles »

et affirmer ensuite avec force :

> « Qu'on patiente et qu'on s'ennuie
> C'est trop simple. Fi de mes peines.
> Je veux que *l'été* dramatique
> Me lie à son char de fortune ».

Cependant, Verlaine, « cœur qui s'ennuie », revit « l'interminable ennui de la plaine », et regarde comme hypnotisé, se mirer dans la rivière embrumée ses « espérances noyées... », ou songe à l'automne.

Rimbaud est un optimiste agressif. Verlaine, pour sa part, demeure un pessimiste dépressif. Le second aspire à la sécurité dans l'exaltation ; l'autre écrira bientôt dans *Une saison en enfer* : » Quant au bonheur établi, domsetique ou non..., non, je ne peux pas. Je suis trop dissipé, trop faible... ». Non point ! Trop farouchement lucide et épris d'indépendance :

> « Rien de rien ne m'illusionne...
> ... Et libre soit cette infortune ».

— alors que l'ami Verlaine désire et réclame jour après jour la clef d'un bonheur surréel, un peu à la manière d'un joueur morose à qui l'on a enfin promis une martingale infaillible.

A l'aise d'abord, les griseries de l'amour et des voyages aidant, sur la montagne spirituelle au sommet de laquelle l'a hissé Rimbaud, il y éprouve soudain des vertiges, et s'il aspire toujours à renouveler sa démarche, c'est à condition de s'avancer sur un sol sans dangers. Où est-elle en définitive, la nouvelle vie promise, cette vie *totale* où le corps est poésie, et où la poésie, corps de la vie, doit nourrir successivement chacun des instants épanouis, extases nouvelles traduites en expressions naissantes, nouvelles pour la poétique en elle-même comme pour le lecteur ? ...

— Rimbaud, lui y croit toujours, et travaille dans son sens. Verlaine *cherche en poésie,* mais doute et chancelle dans la recherche psychologique pure.

D'ailleurs, *qui* est réellement Rimbaud, à supposer que l'on puisse s'enfoncer du personnage à la *persona,* et de la *persona* à la personne qui est au tréfonds ? Qui ? Verlaine ne le sait pas exactement, même s'il se persuade parfois du contraire. Il s'aperçoit qu'il ne « cerne » pas complètement cette personnalité ; il est obligé de constater que, même présent physiquement, Rimbaud est souvent — de plus en plus ? — *absent* par la pensée . Mais sa lucidité ne va pas plus loin. « Je le suivais, moi, dans des actions étranges et compliquées, loin, bonnes ou mauvaises : j'étais sûre de ne jamais entrer dans son monde » (Vierge Folle. L'Epoux infernal).

« Hi ! Hi ! Hi ! les amants bizarres ... ». Drôle de ménage ! », serait-on tenté de reprendre, en écho de la vie à l'art, si ce n'était pas si sérieux. Oui, son maître Rimbaud est-il vraiment le Descartes tant attendu d'une *nouvelle vie,* ou le ludion évasif d'un « enfer » que son compagnon et amant assume totalement, mais dont lui, Rimbaud, a décidé de faire l'expérience provisoire, *une* saison, une seule ? Verlaine aime *son* Enfer, mais son enfer l'aime-t-il ? Le désir passionné de captation totale entraîne évidemment la crainte de perdre l'être aimé, dût cette crainte devenir obsession.

Certes, il sait qu'il est sujet à certains accès de doutes, de tristesses coléreuses ou désordonnées qui prennent parfois l'aspect de cauchemars, et que Rimbaud caricaturera dans *Vagabonds* comme les hurlements d'un « songe de chagrin idiot ». Mais, précisément parce que Verlaine est conscient d'être né *saturnien,* enclin aux brusqueries néfastes, malhabile à apprivoiser l'avenir et à manier les fatalités, il s'est modéré, s'efforçant de s'habituer à vivre avec une certaine qualité de chagrin irremplaçable, comme il vit avec son amour.

La lettre de rupture adressée à Rimbaud le 3 juillet 1873 nous laisse pourtant respirer l'atmosphère progressivement pénible de la vie que connaît Verlaine par l'élu : « cette vie violente et toute de *scènes* sans motif que ta fantaisie ... ». Nous entrevoyons donc sans grand effort les thèmes de discorde fondamentaux assez fréquents et profonds pour que Verlaine n'en ignore pas le sujet et la trame, même s'il ne sait pas encore (il aura le plaisir de l'apprendre en prison) que Rimbaud, dans le long chapitre d'Une saison en enfer, « Vierge Folle. L'Epoux infernal », l'a étudié et observé comme à la loupe tout en le câlinant et en le chapitrant : puis qu'il a tout revécu, notant sentiments et expressions avec la minutie et le détachement d'un greffier insensible à l'enfer. Mais nous, nous savons ce qui s'est passé et déroulé. Nous pouvons tout survoler dans les deux sens. Comme *enregistrées* avec une sérénité implacable, nous entendons les intonations pathétiques et geignardes de Verlaine qui pense tout haut et qui mendie des explications, des consolations ; en tout cas des certitudes, proches ou surréelles.

« ... Il a peut-être des secrets pour *changer la vie* ? Non, il ne fait qu'en chercher, me répliquais-je. Enfin sa charité est ensorcelée, et j'en suis la prisonnière... Hélàs ! je dépendais bien de lui... Ainsi, mon chagrin se renouvelant sans cesse, et me trouvant plus égarée à mes yeux, j'avais de plus en plus faim de sa bonté. Avec ses baisers et ses étreintes amies, c'était bien un ciel, un sombre ciel où j'entrais... Que devenir ? Il n'a pas une connaissance ; il ne travaillera jamais. Il veut vivre somnambule... Par instants, j'oublie la pitié où je suis tombé : lui me rendra forte... Ou je me réveillerai, et les lois et les mœurs auront changé, grâce à son pouvoir magique ; ou le monde, en restant le même, me laissera à mes désirs, joies, nonchalances. Oh ! la vie d'aventures qui existe dans les livres des enfants, pour me récomperser, — j'ai tant souffert ! — me la donneras-tu ? Il ne peut pas. J'ignore son idéal... »

Mais quel n'a pas été son morne et inutile chagrin chaque fois que Rimbaud, sur le ton d'un évangliste ou même d'un messie – d'un nouveau Christ ! – qui ne peut consacrer toute sa vie à un disciple moyennement doué, l'a préparé à la séparation future avec une languide cruauté : « Je nous voyais comme deux bons enfants, libres de se promener dans le Paradis de tristesse. Nous nous accordions. Bien émus, nous travaillions ensemble. Mais, après une pénétrante caresse, il disait : « Comme ça te paraîtra drôle, quand je n'y serai plus, ce par quoi tu as passé ! Quand tu n'auras plus mes bras sous ton cou, ni mon cœur pour t'y reposer, ni cette bouche sur tes yeux. Parce qu'il faudra que je m'en aille, très loin, un jour. Puis il faut que j'en aide d'autres : c'est mon devoir. Quoique ce ne soit guère ragoûtant..., chère âme... ». Tout de suite, je me pressentais, lui parti, en proie au vertige, précipitée dans l'ombre la plus affreuse : La mort. Je lui faisais promettre qu'il ne me lâcherait pas. Il l'a faite vingt fois, cette promesse d'amant. C'était aussi frivole que moi lui disant : « Je te comprends ».

Vainement la « vierge folle » et éperdue a-t-elle voulu se persuader qu'il s'agissait, soit d'une provocation destinée à l'éprouver, soit d'un de ces rêves innombrables et théoriques qui passent et se poussent à la surface de l'âme insondable de Rimbaud. Les faits, eux aussi, se poussent, se préssent, et crèvent à la surface. La certitude que l'extraordinaire lune de miel est virtuellement abolie reflue sur le passé.

La relecture de certains poèmes les montre alors sous un jour nouveau, avec d'étranges réversibilités, déjà, entre les *toujours* et les *jamais,* entre l'exaltation et la réserve, l'espoir et le flottement. Il peut en naître une impression démoralisante de fatalité rétrospective, comme si, malgré les apparences, tout avait été précaire, et sourdement condamné d'avance, laissant rôder au ras des poèmes les plus purs et les plus détachés un fin brouillard, très mince, mais persistant.

Cette incertitude qui hante Verlaine ; son irrésolution — dans tous les sens du terme — constituent une autre *motivation*, qui se manifeste d'abord par une tendance irrépressible aux *questions*. Il s'agira d'un désir d'approbation bien scellée, comme dans l'Ariette IV :

« Et si notre vie a des instants moroses
    Du moins nous serons, *n'est-ce pas* ? deux pleureuses ... ».

Mais ce sera surtout une soif anxieuse et insatisfaite de certitude toujours renouvelée. A ce sujet, il est significatif, il est troublant de remarquer l'accent d'imploration dans l'interrogation que revêt la dernière strophe de l'Ariette I :

« Cette âme qui se lamente
    En cette plainte dormante
    C'est la nôtre, *n'est-ce pas* ?
    La mienne, *dis*, et *la tienne*,
    Dont s'exhale l'humble antienne
    Par ce tiède soir, tout bas ?

Or, de quand date cette Ariette ? — Du printemps de 1872, au plus neuf et au plus fervent de leurs retrouvailles, dans quelque oasis de banlieue. Et là, en évoquant, de façon déconcertante, une lamentation, une *plainte* dormante, voici que juste après *l'extase langoureuse* et la *fatigue amoureuse,* Verlaine ne trouve précisément rien de mieux que de relancer son ami par le sempiternel « Tu m'aimes ? » : « C'est la nôtre, dis, et la tienne ? » Il lui faut l'assurance que la toute proche extase, avec toutes ses correspondances, vient bien d'être assumée *à deux,* et non point par le corps seul, mais par l'*âme*.

Ce sentiment frappe. Il a dû d'autant mieux crever les yeux de Verlaine quand celui-ci a relu ce poème en équilibrant son recueil qu'un fameux sonnet du début de cette même année 1872, quand lui et Rimbaud couchaient ensemble Rue Campagne Première, se termine par le même type d'interrogation anxieuse et la même préoccupation de l'âme : « *Dis*, l'âme est immortelle ? » Il faut qu'il tire Rimbaud, tantôt du sommeil, tantôt de son silence rêveur, comme l'amoureuse tire par la manche le bel indifférent. Les certitudes lui manquent, toute l'atmosphère de cette série de poèmes — qui devrait surtout exhaler le charme — va révéler — dans huit ariettes, sur neuf ... — qu'elle exhale une mélancolie et comme une menace diffuse.

Les conséquences ? Nous allons les mesurer, en essayant, manuscrit en tête, textes séparés, mais comparaisons rétablies, de retrouver l'impression même que dut éprouver Verlaine, et le bilan qu'il en tira ; bilan qui recoupera celui que nous allons, nous, en tirer en regardant avec *l'œil double* ...

Quand Verlaine a-t-il dû se laisser gagner par une certaine évidence ? — Rimbaud, impatient et grossier dans son langage oral, ne lui a évidemment pas toujours caché l'agacement et la grandissante lassitude dont témoignent les célèbres passages dont j'ai parlé plus haut. Encore faut-il, dans cette vie instable et agitée, que se manifeste une occasion forcée de faire retraite, seul. Or, en avril 1873, Verlaine a dû se séparer de Rimbaud, tandis que lui reste en Belgique, à Jehon-ville ; où après un accès de dépression nerveuse provoquée par cette séparation il revoit une dernière fois ses Romances sans paroles avant de les envoyer, enfin, pour l'impression à son ami Lepelletier. Il les relit donc en tous sens, jusques et y compris un retour amont.

Alors, que fait-il ?

Dans son recueil, il insère un nouveau fragment, d'autant plus significatif que certains mots-clefs lui échappent et viennent rejoindre d'autres mots d'autres poèmes mais de la même famille psychologique. C'est une espèce d'examen de conscience et de reprise de soi-même en main après le « Souvenir, souvenir... ». Oh ! Verlaine se garde bien d'inscrire ces vers parmi ceux qui pourraient paraître se rapporter à Rimbaud : ce serait maladroit, et du reste imprudent ! Le changement d'écriture du manuscrit est cependant formel : Verlaine a ajouté trois derniers quatrains, d'un ton très différent, en queue de la litanie *Birds in the Night,* dévidée pour tenter d'apaiser l'ire procédurière de son épouse en jetant les miettes d'un gâteau à la Princesse-Souris-Cerbère (la date : 1872 est donc fausse en ce qui les concerne) :

> « Par instants, je suis le pauvre navire
> Qui court démâté parmi la tempête,
> Et ne voyant pas Notre-Dame luire
> Pour l'engouffrement en priant s'apprête ».
>
> Par instants je meurs la mort du pécheur
> Qui se sait damné s'il n'est conféssé,
> Et, perdant l'espoir de nul confesseur,
> Se tord ans l'Enfer qu'il a devancé.
>
> O mais ! par instants j'ai l'extase rouge
> Du premier chrétien, sous la dent rapace,
> Qui rit à Jésus témoin, sans que bouge
> Un poil de sa chair, un nerf de sa face ! »

Ces vers, s'ils refluent au début vers *l'Angoisse* des *Poèmes saturniens* :

> « Lasse de vivre, ayant peur de mourir, pareille
> Au brick perdu jouet du flux et du reflux,
> Mon âme pour d'affreux nauffrages appareille »

— envisagent au contraire en conclusion une attitude possible devant le destin ; une toute autre attitude ; une attitude capable, d'ailleurs, d'agréer au Rimbaud qui écrit dans *Mauvais sang* : « Je suis de la race qui chantait dans les supplices ».

Prenons garde en passant au mot *Enfer,* car, s'il est déjà loin, affectivement, il n'est pas loin à vol d'oiseau, Celui qui vient tout juste de commencer le « journal » de sa saison en enfer ... Car, le 16 mai 1873, c'est-à-dire trois jours *avant* d'envoyer enfin à Lepelletier le manuscrit des *Romances sans paroles,* il lui adresse un admirable poème qui s'intitule *Invocation* (ce sonnet sera repris dans *Jadis et Naguère* sous une forme sensiblement différente, et avec un nouveau titre : *Luxures*) et qui pose en une saisissante équation à plusieurs inconnues les grandes hantises de Verlaine en cette année cruciale : les rapports secrets entre la Chair et l'Amour, et surtout le problème le plus instamment présent, — celui de l'Absence...

> « Amour ! L'unique émoi de ceux que n'émeut pas
> L'horreur de vivre, Amour qui blûtes, sous tes meules,
> Les scrupules des libertins et des bégueules
> Pour le pain des Damnés qu'élisent les Sabbats ! (1)
> Chair. Amour ! ô tous les appétits vers l'Absence,
> . . . .
> Je vous supplie, et je vous défie, et je pleure
> Et je ris de connaître, en ignorant qu'épeure
> Le doute, votre énigme effroyable, Amour, Chair ».

Poème exponentiel qui, pour éclairer sans doute d'un jour trop nouveau la personnalité exceptionnelle de deux Damnés fiers d'être élus, aussi bien que le contre-chant et la dialectique des Romances sans paroles à travers leur première apparence, ne figurera pas dans le recueil, mais qui nous oriente, nous lecteurs, en même temps qu'il apparaît comme la synthèse initiatique de méditations inéluctables.

Hélas, aussi bien la suite précédente d'*Ariettes* et de *Paysages* — dont la majorité évoque si souvent des arcs en ciel fragiles, que ces vers ajoutés, et ces vers retenus, ont dû souffler à Verlaine qu'un certain destin était déjà inscrit en eux, et virtuellement accompli ; qu'un destin en apparence positif était équivoque et *double parce que son ombre était déjà portée.* Psychologiquement et affectivement, toute cette partie reflète une vision double du monde, de la nature, des états temporaires. Etrange sortilège, l'on pense soudain que l'on pourrait expliquer plus d'un des vers des *Romances sans paroles* composés dans l'orbite de Rimbaud par le vers (mis au singulier) que Verlaine appliquait aux personnages des Fêtes galantes :

> *Ils n'ont pas l'air de croire à leur bonheur.*

Sourdement, insidieusement, sans éclat, mais avec la ténacité de la brume dont on ne soupçonne l'emprise qu'après sa marche, un certain instinct du malheur s'enlace à l'instinct du bonheur.

_____

(1) L'on aura remarqué la parenté de ce vers avec un vers du poème de *Parallèlement,* « Ces Passions... » consacré par Verlaine au souvenir de son intimité avec Rimbaud :
> « . . . . vers l'aventure
> De fiers damnés d'un plus magnifique sabbat ! »

De là naît, à certains moments, le trouble du lecteur envoûté et dérouté tout ensemble par ces murmures à l'écho sourdement différent, par ces images qui se divisent et se recoupent comme des anaglyphes, par cet harmonieux désenchantement au cœur même de l'enchantement.

De là un léger vertige mental devant le *jour trouble* dont parle presque aussitôt l'Ariette II : *Escarpolette,* où un *œil double* perçoit, perce, unit ivrement et brasse pensivement les « catégories » contraires du temps à travers le balancement vertigineux dans l'espace en deux sens contraires... L'escarpolette, en effet, loin d'imposer aucune direction définitive, les synthétise, et apaise l'être en le hissant au sommet sans le forcer à choisir entre deux sens opposés. En concurrence avec les vertigineux chevaux de bois, elle constitue de plus un refuge féérique en soustrayant l'être à la gravitation, tout comme le chemin de fer, île en mouvement, le soustrait aux obligations fixes du quotidien, dans une espèce de *no man's land* psychique.

Mais, là encore, quelque forme que revête d'ailleurs le mouvement — pendulaire, tournoyant, ou dardé en avant —, l'a-pesanteur, si elle est synonyme d'évasion ou de refuge demeure presque inséparable des retombées qui la guettent, et l'âme avec elle. L'aspiration vers *ailleurs* porte en elle l'appréhension de l'interminable chemin vers un horizon aride et décevant comme un mirage qui toujours recule. L'inquiétude s'unit à la nostalgie, et la nostalgie fait des incursions hors de l'inquiétude. Le repos où se blottir s'offre comme un délassement rassurant, mais n'est-il pas un principe d'encerclement ? La lumière si importante, et comme autonome, apparaît soudain d'une pâleur divine, — mais la voici glauque comme celle d'un aquarium...

Les extrêmes d'exaltation heureuse sont eux-mêmes presque indissociables d'une sorte de vertige dans un jour fatalement ambigu. Au *jour trouble* d'Escarpolette, où luttent étroitement crépuscule ancien et aurore future, répond dans Bruxelles I, par la lutte de la lumière automnale qui se modifie et de l'éclairage du wagon, qui demeure, le *demi-jour de lampes qui vient brouiller toute chose.*

Il n'est d'ailleurs presque pas de poème d'extérieur dans cette époque mentale qui ne souffle une buée fragile, ne diffracte un halo, ou ne porte une *aura.* L'on passe d'*exhale* à *tremblote* et *trouble.* Les *nuées* des chênes *flottent* parmi les *buées.* L'ombre des arbres dans la rivière *embrumée* meurt comme de la *fumée.* La rivière de Londres, morte vivante, est condamnée à ne refléter qu'une *brume* sans espoir. Les procédés poétiques biaisent, volontairement indirects ; les mots caressent ; l'*expression* subtile éveille, mais l'*impression* est captieuse, car, déconcertés au profond de nous-mêmes avant de nous en rendre clairement compte, nous ne savons guère si la brume s'annonce comme une brume de chaleur, s'insinue comme des frissons de brouillard extérieur — reflets du brouillard intérieur ? —, ou s'il s'agit des deux, dans une lutte interne, dans une mystérieuse combinaison qui doit nous paraître toute naturelle, comme les Kobolds au milieu des terrils de Charleroi...

Nostalgie de l'évasion et crainte de l'inconnu au-delà de l'évasion ; souci de la lumière, mais servage de la brume ; amour de la dissolution dans le vertige de l'a-pesanteur, ou peur dans l'apaisement de la *petite mort* érotique : à travers l'attention aimante que l'on porte à ce kaléidoscope rose et gris, le chatoiement énigmatique des poèmes prend tout le tendre et mystérieux relief que lui confèrent ses ombres contrastées. C'est à la fois la magie créatrice et la fatalité intime de ce Verlaine-là : chaque chose, chaque *état*, vu par son *œil double*, semble appeler son antagoniste complémentaire, comme l'abîme femelle appelle le sexe mâle.

*
* *

— Mais, — me demandera-t-on peut-être —, qu'entendrez-vous enfin par cet *œil double* ? Comment le définirez-vous ? — Comment ? Dans ces régions abstraites où l'analyse tend à se fondre avec l'intuition en essayant d'approcher le plus possible une espèce de métaphysique poétique, l'on ne peut guère aider l'imagination que par analogie. L'on se risquerait alors à comparer l'œil double à celui du cyclope ; œil placé symboliquement au milieu du front ; œil unique, mais qui, par la filiation même du Cyclope — lequel avait mythologiquement pour père le Ciel et la Terre pour mère, était doué d'une pénétration équilibrée dans les domaines opposés de l'âme et de la matière, de leur apparence et de leur réalité secrètes. D'une vision dont la puissance de pénétration et de dissociation était double...

Dans la thématique de Verlaine que je viens d'évoquer, et dans ce que j'appellerais volontiers — églament par complémentarité — son *système instinctif,* l'œil double peut être protection psychologique et alerte, aveu profond et enchantement échappé. Il applique sa vision à la fusion du passé et de l'avenir, à l'apparence des choses et à leur transparence, à l'extérieur de l'âme et à la prescience de son secret ; à la réalité immédiate et au *surréel* d'un « ailleurs » entrevu qui frôle même un instant le divin derrière les choses.

En retour, cet œil double que le poète atteste comme prophétiquement dans la deuxième Ariette, s'il favorise une certaine résolution des contraires, en aiguise et en diffracte d'abord étrangement la perception, dont Verlaine entrebaîlle déjà les vantaux. De chaque chose et de chaque instant qui lui apparaissent poignants, sa *voyance* enregistre *à la fois* la fragile stabilité heureuse et son reflet déjà dérivant dans un autre sens. Chaque vision, frappante dans son instantané, de la nature ou de l'âme ; chaque sentiment vital de ces poèmes dans l'intimité desquel l'on vit apparaît ainsi prolongé par ses profondeurs, et l'on dirait même parfois que, par un sortilège étrange, c'est, sinon leur négation, du moins leur complémentarité qu'éveille leur tremblant reflet. Fatalement, le chant en majeur et le contre-chant contradictoire en mineur sourdent des vers et rétro-agissent avec ce charme déconcertant qui est celui de la *fêlure* dont je parlais au début ; de cette fêlure exquise des vers qui transpose la fêlure pudique de l'âme.

*
* *

A double vision, double lecture. L'on peut, oubliant d'ailleurs les combats de Verlaine sur deux fronts et les contingences temporelles, feuilleter les *Romances sans paroles* comme un bel album ; l'album d'un peintre-poète, et suivre le courant mélodique qui entraîne ensemble les extases et les chocs, tout comme un courant réel caresse également dans ses reflets moirés et ses incertitudes irisées les arbres déracinés et les îles de fleurs... Il est également une autre lecture possible, où les *Romances sans paroles* se dessinent comme une trame indissociable de ferveurs et de nostalgies ; où les instants sont des extrêmes, et les extrêmes des expériences ; où, de même qu'un puits est le négatif d'une colonne, les plongées soudaines dans les sombres crevasses intérieures apparaissent comme la contre-épreuve mystérieuse et nécessaire des hauts rêves icariens. Alors il s'agit aussi d'autre chose : d'une traversée psychologique dans une double dimension. De l'itinéraire d'une âme. D'une âme à la croisée de l'extase et de l'exil.

Alors on s'aperçoit que les mécanismes et la ferveur de l'œil double ont tranformé le calendrier d'*une* saison double en paradis et en enfer, en une extraordinaire saison toujours suspendue et jamais finie. Dans ce voyage initiatique, l'on pourrait dire que Verlaine, explorateur d'une surréalité dans le réel qui n'appartient qu'à lui, a découvert *l'infra-rouge et l'ultra-violet des choses.* Au delà de l'émulation passionnée de son mauvais ange, c'est la vertu de *l'œil double,* c'est la nécessité d'y recourir pour tout percer et dépasser qui l'y ont aidé.

Jacques-Henry Bornecque.

TABLE DES MATIERES

FAVRE (Y. A.). — Giono et l'art du récit.

FRAPPIER (J.). — Les Chansons de Geste du Cycle de Guillaume d'Orange.

Tome I. — **La Chanson de Guillaume - Aliscans - La Chevalerie Vivien** (2e édition).

Tome II. — **Le Couronnement de Louis - Le Charroi de Nîmes - La Prise d'Orange.**

FRAPPIER (J.). — Etude sur **Yvain ou le Chevalier au Lion** de Chrétien de Troyes.

FRAPPIER (J.). — Chrétien de Troyes et le Mythe du Graal. Etude sur Perceval ou le Conte du Graal (Coll. Bibliothèque du Moyen Age) (2e édition).

FORESTIER (L.). — Chemins vers **La Maison de Claudine** et **Sido.**

FORESTIER (L.). — Pierre Corneille (2e éd.).

GARAPON (R.). — Le dernier Molière.

CARAPON (R.). — **Les Caractères** de La Bruyère. La Bruyère au travail.

GARAPON (R.). — Ronsard chantre de Marie et d'Hélène.

GARAPON (R.). — Le premier Corneille.

GRIMAL (P.). — Essai sur l'**Art poétique** d'Horace.

JONIN (P.). — Pages épiques du Moyen Age Français. Textes - Traductions nouvelles - Documents. **Le Cycle du Roi.** Tomes I (2e édition) et II.

LABLÉNIE (E.). — Essais sur Montaigne.

LABLÉNIE (E.). — Montaigne, auteur de maximes.

LAINEY (Y.). — Les valeurs morales dans les les écrits de Vauvenargues.

LAINEY (Y.). — Musset ou la difficulté d'aimer.

LARTHOMAS (P.). — Beaumarchais. **Parades.**

LE HIR (Y.). — L'originalité littéraire de Sainte-Beuve dans **Volupté.**

LE RIDER (P.). — Le chevalier dans le Conte du Graal de Chrétien de Troyes (Coll. Bibliothèque du Moyen Age).

MARRAST (R.). — Aspects du théâtre de Rafaël Alberti.

MESNARD (J.). — Les **Pensées** de Pascal.

MICHEL (P.). — Continuité de la sagesse française (Rabelais, Montaigne, La Fontaine).

MICHEL (P.). — Blaise de Montluc.

MILNER (M.). — Freud et l'interprétation de la littérature.

MOREAU (F.). — L'Image littéraire.

MOREAU (F.). — Un aspect de l'imagination créatrice chez Rabelais.

MOREAU (P.). — **Sylvie** et ses sœurs nervaliennes.

MOUTOTE (D.). — L'Egotisme français : Stendhal, Barrès, Valéry, Gide.

PAYEN (J.-Ch.). — Les origines de la Renaissance.

PICARD (R.). — La poésie française de 1640 à 1680. « Poésie religieuse, Epopée, Lyrisme officiel » (2ᵉ éd.).

PICARD (R.). — La poésie française de 1640 à 1680. « Satire, Epître, Poésie burlesque, Poésie galante ».

PICOT (G.). — La vie de Voltaire. Voltaire devant la postérité.

RAIMOND (M.). — Le Signe des Temps. **Le Roman contemporain français.** Tome I.

RAYNAUD DE LAGE (D.). — Introduction à l'ancien français (11ᵉ édition).

ROBICHEZ (J.). — Le théâtre de Montherlant. **La Reine morte, Le Maître de Santiago, Port-Royal.**

ROBICHEZ (J.). — Le théâtre de Giraudoux.

ROBICHEZ (J.). — Verlaine entre Rimbaud et Dieu.

ROBICHEZ (J.). — **Gravitations** de Supervielle.

ROSSUM-GUYON (van F.). — Sous la direction de. — Balzac et les **Parents pauvres.**

ROUSSEAU (A.-M.). — Voltaire : **La mort de César.**

SAULNIER (V.-L.). — Les élégies de Clément Marot (2ᵉ édition).

SAULNIER (V.-L.). — Rabelais.

Tome I. — Étude sur le **quart** et le **cinquième livre.**

Tome II. — La sagesse de Gargantua.

SOCIÉTÉ DES ÉTUDES ROMANTIQUES. — Histoire et langage dans l'**Éducation sentimentale** de Flaubert.

SOCIÉTÉ DES ÉTUDES ROMANTIQUES. — Nouvelles recherches sur **Bouvard et Pécuchet** de Flaubert.

SOCIÉTÉ DES ÉTUDES ROMANTIQUES. — Relire **les destinées** d'Alfred de Vigny.

SOCIÉTÉ DES ÉTUDES ROMANTIQUES. — Balzac et **la peau de chagrin.**

THERRIEN (M.-B.). — **Les Liaisons dangereuses.** Une interprétation psychologique des trois principaux caractères.

TISSIER (A.). — **Les Fausses confidences** de Marivaux.

TRICOLTEL (Cl.). — Histoire de l'amitié Flaubert-Sand. Comme deux troubadours.

VERNIÈRE (P.). — Montesquieu et **L'Esprit des Lois** ou la Raison impure.

VIAL (A.). — La dialectique de Chateaubriand.

VIER (J.). — Le théâtre de Jean Anouilh.

WAGNER (R.-L.). — La grammaire française.

Tome I. — Les niveaux et les domaines. Les normes. Les états de langue.

Tome II. — La grammaire moderne. Voie d'approche. Attitudes des grammairiens.

WEBER (J.-P.). — Stendhal : les structures thématiques de l'œuvre et du destin.

Composé par C.D.U. et SEDES
Imprimerie JOUVE, 18, rue Saint-Denis, 75001 PARIS
N° éditeur : 930 — Dépôt légal : Février 1982